Dirmyg Cyfforddus

Argraffiad cyntaf: Tachwedd 1994

Clawr: Marian Delyth

Dymuna'r awdur ddiolch i Gyngor Celfyddydau Cymru am
gymorth ariannol o dan gynllun ysgoloriaethau'r Cyngor i
gwblhau'r nofel hon.

Dymuna'r cyhoeddwyr ddiolch i Adrannau'r Cyngor Llyfrau am
eu cymorth.

Rhif Llyfr Safonol Rhyngwladol: 0 86243 325 8

Argraffwyd a chyhoeddwyd dan gynllun grantiau'r
Cyngor Llyfrau Cymraeg
gan Y Lolfa Cyf., Talybont, Ceredigion SY24 5HE;
ffôn (0970) 832 304, ffacs 832 782.

Dirmyg
Cyfforddus

ANDROW BENNETT

Pennod 1

Go lipa oedd ei gam wrth groesi Pont Treganna i gyfeiriad y castell a'r mannau hen gyfarwydd yng nghanol y brifddinas. Arferai fod yn frasgamwr ugain mlynedd yn ôl pan oedd yn brentis cyfreithiwr yn y ddinas, ond bellach doedd 'na ddim bwrlwm yn ei wythiennau. Atgof cynnes o'r ddinas oedd ganddo, fodd bynnag. Heddiw, o bob dydd, a'r haul yn llosgi ar bopeth, fe ddyle bywyd fod yn benigamp. Ar ôl blwyddyn go ddiflas, roedd ar ei ffordd 'nôl at ei wreiddiau ac at ei hoff gynefin rhwng môr a mynydd.

Ymhen tridie, fe fydde ar faes yr Eisteddfod unwaith eto, y tro cynta er Rhydaman yn 'saith deg'. Galle anghofio am drybini ysgariad a'r ymladd am yr ychydig arian oedd ar ôl wedi i'w wraig wario'i ffordd drwy hanner dwsin o gyfreithwyr druta Lloegr.

Llithrai ei gof o bryd i'w gilydd yn ôl dros y deunaw mlynedd o briodas a oedd, bellach, yn faich llethol ar sgwydde gwan a fu unwaith mor gadarn.

'Sgusodwch fi,' meddai llais Americanaidd dros ei ysgwydd wan dde.

'Sgusodwch fi, ŷch chi'n gwbod lle ma'r banc agosa gymriff siecie-taith doleri?'

Pam y fi, meddyliodd, pan fod dwsin a hanner o bobl o fewn decllath alle'i helpu hi? Llithrodd gwên dros ei wefusau wrth iddo droi i wynebu'r llais a chael ei hudo ar unwaith gan y llygaid glasa posib yng nghysgod toreth o wallt tywyll yn sgleinio fel drych i adlewyrchu'r heulwen ar ei ysbryd e.

Droeon wedyn, fe geisiodd esbonio iddo'i hunan ei deimlade yn ystod yr ysbaid honno, ond rywsut gwyddai na alle cefndir piwritanaidd o gefn gwlad Cymru gyfleu'r egni a'r ysfa am y corff a'i hwynebodd ac a'i syfrdanodd y bore hwnnw. Cododd ei ysbryd o'r gwaelodion mewn ysbaid ond anodd oedd casglu'i feddyliau er mwyn rhoi ateb synhwyrol iddi.

'Fel ma'n digwydd, rwy i ar fy ffordd i'r banc fy hunan ac rwy'n siŵr y byddan nhw o help i chi. Gallwch ddod 'da fi, os mynnwch.'

Os oedd y fath beth yn bosib, lledodd ei gwên i guddio'r prydferthwch. Dyma'r math o ddewis y dyle pob dyn ei gael: gwên synhwyrus yn lledu'n chwareus dros yr wyneb mwya deniadol neu gilwg difrif yn dangos angerdd i hyrddio'r gwaed i lwynau'r cryfa. Trodd y ddau i gyfeiriad gwesty'r Angel fel petaent wedi cytuno ar unwaith heb angen sgwrs bellach.

Wrth gyrraedd y groesffordd, sylweddolodd Tom nad oedd wedi bod yn ddigon hy i edrych arni wrth gerdded gyda hi nac i siarad â hi ers cynnig ei gwmni ar y ffordd i'r banc. Troes ei lygaid ati a syrthiodd ei drem yn anfwriadol ar ei chorff i sylwi fod ei gwisg drwsiadus yn cuddio bronne y galle gorffwys yn eu cyffinie cyfforddus am noson neu fwy gysuro'i dalcen cythryblus. Gwridodd hithe'n ei thro wrth sylwi ar ei rythu, ond eto gwyddai Tom nad oedd e wedi tramgwyddo trwy syllu cymaint ar ei chorff. Gafaelodd hi'n sydyn yn ei law i'w dynnu'n dyner ar draws y ffordd a dweud, 'Os na 'newn ni ruthro, fe fydd y bws 'na wedi'n chwalu ni'n dau ar hyd a lled Caerdydd!'

Wrth gyrraedd yr ochr draw, rhyfeddodd Tom iddi beidio â gadael ei law'n rhydd, ond yn hytrach, teimlodd ei bysedd fel pe baen nhw'n chwarae miwsig ar ei arddwrn wrth i'r ddau ddechre siarad ar unwaith. Chwerthin wedyn wrth i'r ddau geisio ymddiheuro i'w gilydd. Cydiodd hi'n dynnach yn ei law drwy'r ymdrech fer a'i dynnu ati'n chwareus a'i wthio'n dyner i ffwrdd eto. Gwelodd Tom gymhariaeth yn syth â chyplu a theimlodd godiad yn ei gala i lusgo'i flaengroen yn ôl yn anghyfforddus y diawl.

Ar ddiwrnod mor gynnes, roedd e'n gwisgo siwt fusnes las tywyll a llinelle culion gwyn yn y brethyn, ac am y tro cynta heddi teimlodd yn anghyfforddus yn ei ddillad gwaith. Prin y math o ddillad i'w gwisgo, meddyliodd, i ddenu llygaid yr un ferch, heb sôn am hon a gorfod diodde codiad yr un pryd!

'Eich siwt fusnes rodd y syniad i mi y byddech yn siŵr o wybod am fanc go-iawn,' medde hi, fel petai'n darllen ei feddwl yn anhygoel o gyflym, 'ond dwi'n gwbod ych bod chi'n ifancach mewn dillad hamdden. Gyda llaw,' ychwanegodd, a chodi ei law e tua'r awyr las, a gwenu'n ddireidus, 'Anna yw f'enw ac rwy i draw yma ar wylie o Boston yn America. Diolch am yr help i ffeindio'r banc – ond ma' Caerdydd yn uffernol o le am barcio.'

Roedd Tom wedi anghofio am chwantau ei gorff dros y ddwy neu dair blynedd diwethaf, ond nawr roedd atgyfodiad y wialen yn ei drowsus yn bygwth ei atal rhag cymryd cam ymhellach. Rywsut, llwyddodd i reoli ei ymennydd yn ddigon i argymell ei gorff i symud ar hyd y stryd i gyfeiriad y NatWest rownd y gornel.

'Rhaid i chi adel i mi brynu paned o goffi i chi ar ôl ymweld â'r banc,' sisialodd ei llais yn ei glust a'r llaw eto'n ei glosio ysgwydd wrth ysgwydd ati. Rhoes gynnig ar ateb cymalog ond rhyw ruthr geirie digyswllt a glywodd o'i geg afreolus. Tybed ydi hi'n deall yr effaith mae hi'n ei chael ar fy nghorff a'm cydlyniad? meddyliodd wrth iddynt gerdded i gyntedd y banc a hithe eto'n ei gymell i '. . . beidio â rhedeg i ffwrdd cyn rhannu pot o goffi gyda mi.'

Wrth sefyll yn y gwt i newid ei siec, edrychodd i gyfeir-iad y ciw ar gyfer arian estron a gweld cysgod ei chorff gosgeiddig trwy ei gwisg haf fregus yn eglur yn erbyn y ffenestri tal yn y cefndir. Daliodd ei hunan yn ei dychmygu'n noethlymun ar draeth heulog neu (yn fwy anogol, efalle) yn hanner noeth mewn hanner goleuni mewn rhyw westy ecsotig. Ar yr union eiliad y teimlodd ei gala'n talsythu eto, clywodd lais cras, 'Nesa! . . . Nesa! OS GWELWCH YN DDA!' A dyna ddiwedd ar ei freuddwyd am y tro.

*   *   *

Dyw hi ddim mor ifanc ag rown i'n credu i ddechre, myfyriodd Tom dros ei gwpan yn y dafarn goffi. Oedd, roedd 'na linelle pry copyn yn lledu o ochr ei llygaid i'w gysuro rhag meddwl ei bod hi'n rhy ifanc iddo ei chael.

Ie, erbyn hyn, dyna oedd ei unig nod wrth sgwrsio â hi. Roedd am ei meddiannu'n llwyr, nid er mwyn dangos rhyw gariad tuag ati nac er mwyn dangos rhyw nodwedd *macho* gwrywol. Clywodd ei wraig (a oedd yn gwybod cymaint am *psyche*'r gwryw!) droeon yn pontifficeiddio fod pob dyn am gnychu merch er mwyn dangos fod ei nerth yn goresgyn y ferch. Doedd gan Tom ddim syniad pa fath deimlad oedd 'na i orgasm benywaidd ond gwyddai na theimlodd e'r un profiad i'w gymharu â'r union eiliad yr hyrddiai ei had o'i gala. O gael gwneud hynny i wres croth menyw hardd i'r fargen, gore i gyd. Fel pob un sy'n onest ag e'i hun, wrth gwrs, fe roddodd Tom bleser iddo'i hun o bryd i'w gilydd gyda chymorth deheuig ei law. Ond er ei fod yn nabod ei gorff yn well na neb arall, roedd bod ynghlwm wrth gorff benywaidd deniadol yn siŵr o gynyddu'r pleser.

Yn ystod y misoedd diwetha, fodd bynnag, bu'n well ganddo osgoi cymhlethdod perthynas agos â rhywun, a rhoes ei holl egni i redeg y busnes. Anghenraid oedd gwneud hynny, wrth gwrs, ac yntau mor dlawd, yn wir yn dlotach nag a fu erioed o'r blaen. Gwyddai fod 'na si ar led ymysg ei bartneriaid busnes ei fod e'n hoyw. Ond doedd e ddim am rannu aelwyd a bywyd â neb am y tro. Gwell ganddo'i gwmni'i hunan. Cyfle i gymryd stoc. Cyfle i fyfyrio. Cyfle i hamddena. Cyfle i ddarllen. Cyfle i wrando ar ei hoff gerddoriaeth. Cyfle i anghofio.

Eto allai e ddim anghofio'r boen a'r loes o weld hanner cynta'i fywyd yn cael ei ddwyn oddi arno. Pan ddywedodd y Cofrestrydd wrtho yn y Llys y byddai'n rhaid iddo drosglwyddo'i ran o'u cartref yn llwyr i berchnogaeth Wendy, aeth y peth fel bollt trwy'i ymennydd. Sut y llwyddodd i gasglu'i bapurau at ei gilydd a gadael yr adeilad, ni wyddai. A hithe wedi gwrthod gwneud cyfraniad at gyllideb y cartref. 'Gwaith' gwirfoddol yn cynghori pobl eraill ar broblemau priodasol heb unrhyw sôn am ysgafnhau'r straen arno i ennill digon o fywoliaeth i gadw teulu a morgais ar dŷ yng nghyffiniau Llundain. Doedd e ddim wedi bod yn ŵr a thad perffaith, chwaith, yn gweithio oriau di-dor i greu gyrfa hapus iddo fe'i hun ac ennill cyflog digon bras.

Ciciodd yn erbyn y tresi ac yn erbyn athroniaeth gwaith ei rieni a gwrthod dilyn ei dad i yrfa 'gyfforddus' ym myd addysg. Daliai i ryfeddu at y pwys a roddai'r Cymry ar lwyddiant wedi'i fesur yn ôl y math o swydd gyhoeddus y gallech ei chynnal. Yr *entrepreneurs*, weithiau heb fawr o lwyddiant gydag addysg ffurfiol, oedd y bobl lwyddiannus, gyfoethog a chymharol hapus yn ei dyb e. Tan i rieni Cymru sylweddoli hynny, bydde'r wlad dipyn yn dlotach. Rhaid annog eu plant i fod yn fwy creadigol a dychmygus yn hytrach na dilyn yr hen ganllawiau culion. Doedd ganddo'r un ofn am ei blant ei hun gan iddo bwnio'i athroniaeth i'w pennau'n ifanc. Roedd ei ferch hynaf, Olwen, yn disgwyl canlyniadau arholiadau lefel 'A' ond ni ofidiai Tom amdani gan y gwyddai fod ganddi addysg a diddordebau digon eang i'w chynnal.

Llai o fecso wedyn am Mary'n bymtheg oed a hithau'n ennill rhyw dipyn o fywoliaeth yn barod, wedi gwerthu a chyhoeddi dros ddwsin o storïau byrion i gylchgronau ieuenctid. Hi bellach oedd ysbrydoliaeth fwyaf Tom, yn adnabod y gwellhad therapiwtig a gâi o ysgrifennu ar bapur neu o recordio ar dâp ei holl feddyliau poenus neu hapus. Na, wnâi neb falurio Mary, y gryfaf o'i theulu wrth weld ei chartref yn cael ei chwalu o'i chwmpas. Pa mor ddigalon bynnag fu Tom dros y misoedd, cymerodd y plant bopeth fel y deuai, a chan fod ganddynt lystad erbyn hyn, roedd eu bywydau'n gymharol esmwyth. Soniodd Mary fwy nag unwaith wrtho ei bod hi'n hen bryd iddi gwrdd â'i llysfam, ond doedd ganddo'r un diddordeb am y tro mewn ailbriodi.

Priodas ffurfiol oedd y peth pellaf o'i feddwl wrth edrych nawr ar wedd Anna. Ysai am ei chofleidio a'i chnychu'n egnïol. Roeddynt yn sefyll wrth ochr ei char hi ym maes parcio'r Ganolfan Chwaraeon Cenedlaethol yng Ngerddi Sophia yn meddwl beth i'w wneud nesaf.

Ar ôl y coffi aeth â hi o gwmpas y Castell a chael cyfle i greu argraff fwy ffurfiol arni trwy ddangos ei wybodaeth am yr hen gaer. Creodd argraff go dda arno'i hun hefyd, gyda'i allu i ddwyn i gof hanes teulu Bute, er nad oedd wedi bod yn y Castell ers rhyw ugain mlynedd. Fe fyddai wedi mwynhau dangos yr hen furddun i'r plant, ond doedd ganddyn nhw, a hwythau'n byw yn Lloegr, ddim diléit yn hanes Cymru.

'Clywais fod eich Amgueddfa Werin yn Sain Ffagan yn werth ei gweld,' meddai Anna wrth iddynt adael y Castell trwy'r porth ac wynebu'r drafnidiaeth yn hyrddio heibio. Cyn ei chwrdd, dim ond rhyw ddwyawr yn ôl, prynhawn diog o dorheulo ar un o draethau'r Fro neu Benrhyn Gŵyr oedd ar y gweill, ond nawr fe ddilynai hi i ben draw'r byd er mwyn cael cyfle i'w meddiannu. Penderfynsant fynd â'u dau gar i Sain Ffagan a chael tipyn o bicnic yn y maes parcio yno. Roedd gan y naill a'r llall dipyn o fwydach i'w rannu â'i gilydd.

Yn union wrth barcio, dechreuodd Tom newid ei ddillad busnes ffurfiol am grys-T llac a throwsus tenis byr. Trodd Anna ei llygaid i ffwrdd. Tybed, meddyliodd Tom, oes gen i siawns cael hon? Dyw pethe ddim yn deg o gwbl. Osgoi cyswllt rhywiol am fisoedd ac yna ffansïo piwritan o draws y 'Werydd.

'Rych chi'n edrych yn iau ond ddim hanner mor alluog nawr,' meddai wrtho. 'Fyddwn i byth wedi gofyn am eich cymorth i ffeindio banc petaech chi ddim yn gwisgo siwt fusnes.' Diawl, meddyliodd Tom, os wyf am gael cyfle i gnychu hon, fe fydd hi'n rhaid gwisgo siwt! Tipyn yn wahanol i'r esgidiau glaw y tybiai cymaint o'i ffrindiau yn Lloegr oedd yn anghenraid i Gymro gnychu dafad!

'Rŷch chi'n eich dillad gwyliau'n barod,' atebodd Tom, 'ond cofiwch 'y mod i wedi gyrru can milltir a hanner y bore 'ma ac wedi treulio dwyawr mewn cyfarfod. Maddeuwch imi, ond ma'n rhaid ymlacio tipyn nawr.' Cyfle i ryddhau ei gala o gaethiwed tywyll oedd bwysica iddo a gobeithio y galle gerdded yn fwy cyffordus.

Esboniodd wrthi am athroniaeth yr Amgueddfa wrth gerdded o gwmpas a chreu syndod ynddi wrth gyfnewid rhwng y Gymraeg a'r Saesneg mor hawdd i sgwrsio â'r staff. Er iddi fod yng Nghaerdydd a'r cyffiniau ers deuddydd, chlywodd hi mo'r Gymraeg tan heddiw.

Cyn hir, roeddent mewn cornel dawel o dir yr Amgueddfa a neb o'r ymwelwyr eraill yn agos atynt. Ryw ddwywaith neu dair yn barod, cyffyrddodd eu hysgwyddau wrth iddynt gerdded yn hamddenol. Nawr, fodd bynnag, penderfynodd Tom fynd i'r eithaf a rhoi ei fraich yn gyfeillgar o gwmpas ei hysgwydd. Trodd hi ato ar unwaith a gorffwys ei phen ar ei frest a sibrwd, 'Rwy i d'eisie di hefyd ond dwi ddim yn credu ma' dyma'r lle gore.'

Syfrdanwyd Tom gan ei gonestrwydd, ond rywsut aeth ei law dde at ei bron chwith a theimlo'r deth yn caledu ar unwaith o dan ei gyffyrddiad. 'Gwasg hi'n galetach, ond eto'n dyner,' ymatebodd hi a'i gusanu â gwefusau meddal. Ildiodd ei ddannedd le i'w thafod wthio i'w geg a theimlodd ei law ar un o fochau ei din gan ei dynnu at ei chorff. Teimlodd ei gala'n aeddfedu a hithe'n symud ei thraed i'w dderbyn. Gorffwysodd ei godiad yn gysurus yn erbyn y twmpath trionglog rhwng ei choesau.

'Ma'n rhaid 'neud rhywbeth . . . Ma'n gymaint o wast-raff . . . Rwy mor wlyb . . . Gwna rwbeth . . . Tyrd i'r coed 'na . . .' A'r ddau ar ruthr i gysgod rhyw glawdd a'i law i fyny o dan ei gwisg a thynnu'r tamed dilledyn bregus i lawr dros ei choesau ar frys a hithe'n hanner pwyso arno ac yn siarad yn hollol ddigyswllt am 'Dy gala . . . Gwthia hi i'm cont . . . Mor wlyb . . . 'n barod amdanat . . . Sugna 'mron . . . Dod dy fys miwn 'te . . . Ie! . . . Mwy! . . . Aros! . . . 'Na fe! . . . O, uffarn! . . . Sawl bys? . . . Cod fy nghoes i fyny! . . . Nawr! . . . Ie, nawr! Nawr! . . . Beth sy? . . . O na! . . . Y diawl bach! . . . Ych! Ma 'nghoes i'n wlyb! Y BYGAR â thi! Dwi ddim wedi dod, ti'n gwbod! O'wn i d'isie miwn yno' i'r tro cynta! A beth alli di 'neud â'r peth bach 'na nawr? O, paid â chrio! Ma'n ddrwg 'da fi. Do'wn i ddim yn meddwl bod yn gas. Nac o'wn, wir.' Dechreuodd hi grio a gafael yn dynn am ei wddf. 'O, maddau imi ond ro'wn i dy isie di gymint. Fydda i'n well mewn munud, wir iti. Ma' hi wedi bod mor hir a ma' popeth 'da'i gilydd wedi 'nghyffroi gymint. A dwi MOR 'lyb! Ble ma' 'mhants i imi ga'l sychu 'nghoes? 'Na i mo'u gwisgo nawr. Dwi'n falch i ti ddod. O leia mae'n dangos y galla i greu cyffro mewn dyn, hyd yn oed yr oedran dwi nawr!'

Drwy'r cyfan oll, bu Tom yn dawel a digyffro heblaw am ei ymdrech i'w chnychu. Rhuthrodd yr adrenalin trwy ei gorff cyn ei uchafbwynt siomedig o gyflym. Fe'i gadawyd, rywsut, fel rhyw glwt gwlyb yn pwyso arni. Llid? Na, fe deimlodd (os oedd hynny'n bosib) fwy na llid wrth iddo sylweddoli'r hyn oedd wedi digwydd. Y ffŵl! Y clown! Cyfle heb ei ail i greu rhywbeth ardderchog a . . . a dod mor fuan! Gwiriondeb y peth! Doedd hyn ddim wedi digwydd ers ei arddegau! Y diniweidrwydd! A'r holl brofiad a gafodd yn y chwedegau! Allai e ddim credu ei fod mor chwim yn cyrraedd ei binacl!

'Dere, cawn gyfle arall nes 'mla'n.' Hithe'n rheoli eto. 'Ma' rhywun siŵr o ddod rownd y gornel 'na unrhyw funud. Oes 'da ti boced yn y *shorts* 'na? Dod y nicers 'ma o'r golwg. Wedi'r cyfan, y ti 'na'th nhw mor 'lyb!' Y direidi'n ôl i'w gwên a'i hymddygiad eto wrth iddi ddodi'r dilledyn pitw'n ei boced gyda'i fwndel o allweddi. Er gwaethaf blynyddoedd mewn priodas ddiffaith, doedd Tom heb brofi'r fath agosatrwydd heb atalnwyd o'r blaen. Nawr, fodd bynnag, doedd 'na ddim byd yn fwy naturiol yn ei dyb e na cherdded o gwmpas a phâr o nicers merch wedi'u socian yn ei had gwryw yn ei boced.

Roedd ganddo atgof gwan o Wendy'n noethlymun yn ei ddisgwyl o'r gwaith wythnos neu ddwy ar ôl eu priodas. 'Ers imi hongian dy nicers di'r bore 'ma ar y lein nesa at 'yn rhai inne, dwi wedi bod yn barod amdanat.'

Dyna'r unig dro iddi ei ddenu i'w gwely priodasol. Wel . . . na, nid yn hollol. Un prynhawn Sul, ar ôl iddynt ffarwelio â chyn-gariad i Wendy a'i wraig oedd wedi digwydd galw heibio, eto'n fuan ar ôl eu priodas, aethant i'w gwely ar anogaeth Wendy. Roedd hi mor wlyb rhwng ei choesau! Cefnforol oedd y disgrifiad a roes Tom i'w chont y prynhawn hwnnw. *Fel bwced* oedd yr ymadrodd pan oedd e'n ei arddegau. Ymadrodd dirmyg am butain efalle. Dyna'i deimlad nawr am Wendy o'i chymharu'n annheg â'r Anna hyfryd hon.

'Rwy'n gobitho na fydd y gwlypter i'w weld wrth i ni gerdded o gwmpas. O, dere, Tom, dyw'r byd ddim ar ben. Cawn gnychu droeon eto. Rwy draw 'ma am dair wthnos arall ac, ar ôl misoedd yn fy ngwely ar fy mhen fy hunan, rwy'n edrych 'mla'n at ddefnyddio dy gala'n gyfnewid am iti ga'l fy nhreisio pryd y mynni di ac fel y mynni di.'

Os syfrdanwyd Tom ynghynt, bu'r eiliadau nesaf yn fwy rhyfeddol byth. Wrth iddynt gyrraedd y llwybr, edrychodd Anna i'r naill gyfeiriad a'r llall. Doedd neb yn y golwg. Trodd at Tom a gafael yn ei gala a'i gerrig trwy'r *shorts* a dweud wrtho'n uchel: 'Mi ddangosa i iti dricie na feddyliest ti amdanyn nhw i ddifyrru'r tîm 'na sy 'da ti lawr fan 'na!'

Cyn i Tom allu ymateb, clywsant sŵn criw o blant yn rhedeg i'w cyfeiriad. Collwyd yr eiliad. Collwyd yr awyr-gylch. Ar yr union foment i'r ddau droi i gerdded ym-laen, daeth triawd o ferched tuag wyth oed yn hercian ar hyd y llwybr atynt.

Wrth gerdded 'nôl i gyfeiriad y maes parcio trodd meddwl Tom at ei gyfrifoldeb teuluol. Pythefnos o wyliau gyda thair ffrind mewn maes carafannau yng nghyffiniau Porthcawl oedd syniad Olwen o nefoedd ar y ddaear. Gwobr iddi'i hun ar ôl dwy flynedd o waith caled yn y chweched dosbarth. Y hi drefnodd y gwyliau. Addawodd Tom i rieni'r tair arall y byddai'n bwrw heibio i'r maes dros benwythnos ganol eu gwyliau.

'Dim ond i weld os ŷn ni'n bihafio'n hunen on'd tefe?' oedd ymateb swrth Olwen. 'Peidiwch ag aros mwy na hanner awr, 'newch chi? A, na, fyddwn ni *ddim* am ddod ma's i swper 'da chi. Ni ar ein gwylie, reit? Os bydd cwpwl o bunne sbâr 'da chi, fydd hynny'n help.'

O gofio'i arddegau ei hun, gwyddai Tom yn iawn beth oedd anghenion Olwen a'i ffrindiau. Ychydig yn chwaneg o arian i brynu cwrw neu win mewn tafarn lleol. Ac, yn bwysicach, y rhyddid i gyfeillachu â bech-gyn ar wyliau tebyg. Tra oedd y merched yn agosáu at eu harddegau, bu Tom yn gofidio am eu dyfodol rhywiol. Bellach, a hithau dros ei deunaw ac yn fenyw ifanc yn hytrach na merch, roedd hi'n rhy hwyr i ofidio am Olwen. Erbyn iddo yntau gyrraedd yr oedran teg o ddeunaw, roedd wedi ehangu ei orwelion rhywiol yng ngwer-syll yr Urdd yng Nglan-llyn a thu ôl i nifer o neuaddau mawr y De yn ystod egwyl ar ganol sawl Twmpath Dawns. Rhagrith o'r eithaf fyddai ceisio amddiffyn gwyryfdod Olwen neu, yn y pen draw, Mary. Ac yntau wedi treulio'i ddyddiau (neu nosweithiau, i fod yn gywir) yn ceisio teimlo bronnau di-rif. Daeth yn hen law ar godi sgert wrth gofleidio heb i'r ferch sylweddoli. Bu nifer go dda o ferched cefn gwlad a threfi Cymru yn fodlon ar gael eu teimlo gan ddwylo Tom a'i gyfoeswyr.

Ni chafodd y cyfle i gnychu merch tan Eisteddfod Aberafan yn '66. Popeth ar garlam wedyn, wrth gwrs. Cyn hynny, breuddwydio'n unig am y profiad a wnâi. Coronwyd ei ddisgwyl â phrofiadau lluosog am dair neu bedair blynedd. Yng nghanol ei ugeiniau, am ryw reswm na allai mo'i esbonio nawr, bu trwy gyfnod go hir o hun-an-ymwadiad rhywiol. Roedd fel petai'n rhaid iddo fod yn hollol ddibriod, bron yn fynachaidd am gyfnod cyn priodi a chael plant.

Nid plant oedden nhw, ond pobl ifanc. Ac wrth gyr-raedd y maes carafannau dechreuodd Tom ofni beth fyddai ymateb Olwen. Ei mam, Wendy, oedd wedi penderfynu fod eu priodas drosodd. Gwyddai'r plant hynny, ond roedd eu mam wedi eu hargyhoeddi mai ar eu tad roedd y bai am yr ysgariad. 'Mae e'n fwy ffyddlon i'w waith nag yw e i mi,' oedd yr un hen gân. Heno, ac yntau'n dod ag Americanes brydferth i Borthcawl, fe fyddai 'na gymhariaeth ym meddwl Olwen â'i mam. Heb yr un amheuaeth, mewn unrhyw gystadleuaeth, Anna fyddai'n fuddugol bob tro.

Sylweddolodd Tom mai emosiynau gwrywaidd hollol a lanwai ei feddwl. Rhywbeth darfodedig yw pryd-ferthwch. O werth diflanedig. Personoliaeth a theim-ladau. Dyna'r pethau pwysig. Dyna ddysgodd Wendy iddo. Am fenyw. Ond eto, â'i llygaid arlunydd, gwelai hithau brydferthwch byd natur a golygfeydd mynyddig

Cymru a Ffrainc. Pam, gofynnodd Tom iddo'i hunan drosodd a thro, fod 'na rywbeth o'i le ar ddodi prydferthwch corfforol ar y brig o restr pethau pwysig ynglŷn â menyw? Wedi'r cyfan, heb os nac oni bai, dyna sail pob priodas. Os nad yw dyn yn ddall. Mae partneriaid rhywiol yn gweld rhywfaint o brydferthwch yn ei gilydd *cyn* eu denu *at* ei gilydd.

Yn y maes parcio ym Mhorthcawl, cynigiodd Anna aros yn ei char i Tom fynd i nôl Olwen. Mynnodd Tom y dylai ddod gydag ef. Ac, ymhen pum munud, roedd yn falch o'i chwmni wrth weld Olwen y tu allan i'w charafán. Nid hon oedd ei Olwen ef. Nid hon oedd yr Olwen a alwodd heibio i fflat Tom ddeng niwrnod yn ôl i gasglu ei gyfraniad ariannol at ei gwyliau. Lle ga'dd hi ei gwallt wedi ei dorri? Ei eillio fyddai'n well disgrifiad. Gwallt hir, hir golau at ei hysgwyddau oedd ganddi ers blynyddoedd. Roedd ei phen wedi'i flingo erbyn heno, fodd bynnag. Ac eithrio cynffon blethedig o gopa'i phen hyd at ei gwddf. Am yr eildro heddiw, roedd Tom yn fud. Rhedai digonedd o eiriau trwy'i ymennydd ond ni allai byth ddodi'i emosiynau mewn brawddeg.

'Hei, Dad! Ffindioch chi ni 'te,' meddai Olwen â hanner gwên sarcastig. 'Ma'r t'wydd wedi bod yn *ar*dderchog. Ar y tra'th bob dydd. 'Drychwch ar 'yn lliw i.'

Oedd, roedd 'na nerfusrwydd amlwg yn ei llais. Ceisio tynnu ei sylw i ffwrdd oddi wrth y gwallt haerllug 'na. Ar hynny, daeth un o'r merched eraill o'r garafán â'r union un steil o wallt. Prin y gallai Tom adnabod Celia fel rhywun a gerddai strydoedd Harrow gyda'i rhieni parchus dosbarth canol.

'Helô, Mr Richards. Ma' Olwen mewn trwbwl 'da'r tair ohonom am gadw De Cymru'n gyfrinach cyhyd. Y tywydd. Y traethe. Y tonne. A'r D-A-A-A-LENT!'

Roedd hi'n amlwg yn feddw. Rhyw damaid yn llai na phum troedfedd ond ag ymddygiad llawn o ymffrost nad apeliai at Tom o gwbl. Cofiai Celia'n ffrind i Olwen yn eu hysgol gynradd. Ond roedd y peth 'ma o'i flaen nawr cyn belled â'r dyn yn y lleuad oddi wrth y ferch fach honno yng nghefn ei gof.

'Bydd y ddwy arall mas miwn muned i 'weud helô. Ond ma' Susanna'n ceisio twtio'i hun er eich mwyn chi, Mr Richards. Ma' hi'n eich ffansïo chi, chi'n gwbod!'

'Celia, cau dy geg, 'nei di! Dwi ddim yn licio ti'n siarad â 'Nhad ffor' 'na!' Torrodd ar draws pethau'n gadarn fel pe bai'n awyddus i amddiffyn ei thad rhag rhyw ddirmyg chwerthinllyd plant.

O'r diwedd, cafodd gyfle i gyflwyno Anna i'r ddwy ferch cyn i Susanna ac Alice ddod o'r garafán. Roedd y ddwy wedi gwneud ymdrech amlwg i blesio Tom. Gwyddent ei fod wedi addo ffonio'u rhieni ar ôl yr ymweliad ond roedd y ddwy wedi mynd dros ben llestri â'r ymbincio. O leia roedd eu gwallt yn normal! Cyn heno, gwelodd Tom y pedair hyn fel rhai o ferched prydfertha Llundain (a gwyddai dipyn am hynny o weld y sioe ffasiwn ddyddiol yn Oxford Street a'i chynefin).

Cadwodd Susanna ac Alice eu safle am iddynt beidio â thorri eu gwallt. Roedd un yn bryd golau fel Olwen a'r llall bron yn fersiwn ifanc o Anna wrth ei hochr. Roedd Alice yn hanner Indiaidd a chymysgwch Iddewig hefyd. Gwisgai hi a Susanna sgertiau byrion, lliwgar, blodeuog i ddangos eu cyrff i'r dim ond eto'n gyfrinachol. Y drafferth oedd yr hen finlliw 'na. Pam na allai merched ifanc fel y ddwy hyn sylweddoli fod minlliw'n amharu ar eu prydferthwch?

Cofiodd ddarllen yn llyfr mawr Reay Tannahill am ddylanwad rhyw ar hanes. Defnyddiai puteiniaid yr Aifft gynt finlliw ar eu gwefusau fel arwydd o'u parodrwydd i sugno cala'r cwsmer. Hoffai Tom y cyfieithiad o'r ymadrodd Saesneg. *CHWYTHAD*. Byddai wrth ei fodd nawr yn cael *chwythad* gan Anna. Na, roedd y ddwy ferch ar risiau'r garafán yn rhy ifanc at ei ddant e bellach.

'Ma' Mr Richards wedi dod â ffrind 'co o America,

Susanna. Man â man 'sa ti heb drafferthu â'r gwishgo lan.' Medd'dod Celia'n rhoi'r hyder iddi fod mor ddi-gywilydd.

'O, Celia, cau hi! Ŷn ni i gyd wedi ca'l digon ohonot ti'r wthnos 'ma. Os odych chi isie dishgled o de, ma'r cwpane'n lân.'

'Ar nosweth mor dwym, ddylet ti gynnig glased o gwrw i dy dad, w.' Celia hy eto.

'A gweud y gwir, fe fydde diferyn o siandi'n help i dorri syched, ferched. Odych chi'n yfed siandi ym Moston, Anna?'

'Bydde siandi'n iawn, Tom. Hynny yw, os oes peth 'da chi.'

'O's, gwlei,' meddai Olwen yn llym wrth yr American-es. 'A' i i nôl peth i chi'ch dou. Steddwch ar y cadeirie haul a ph'idwch gryndo ar bopeth ma'r dair ma'n 'i 'weud. Ok?'

Yn ystod y chwarter awr nesa, cafodd Tom ac Anna fraslun lliwgar o wythnos gynta'r pedair yn Ne Cymru. Roedd hi'n amlwg i bawb nad odd 'na ddim byd ond dynion ar feddwl Susanna ac, i raddau, Alice. Roedd Olwen wedi treulio'i hamser, fodd bynnag, yn pregethu'n frwdfrydig wrth ei ffrindiau am yr holl anghyfiawnderau yn erbyn Cymru. Yn erbyn ei hiaith, ei diwylliant a'i diwydiant. Prynodd baent i 'addurno' arwyddion uniaith Saesneg yr ardal. A hithau'n siarad dim ond brawddeg neu ddwy o Gymraeg!

Wrth edrych ar ei ferch gyntafanedig â'i phen hanner moel a'r dyngarîs denim hyd at ei phen-gliniau, cafodd Tom gadarnhad (os oedd eisiau cadarnhad) nad oedd e, mwyach, ar yr un donfedd ag Olwen. Cytunai'n llwyr â'i hargyhoeddiadau. Ni allai, fodd bynnag, gytuno â'i heiriolaeth dros weithredoedd anghyfansoddiadol. Ar ôl tipyn o bregethu, sylweddolodd Olwen fod ei chynull-eidfa'n syrffedu ar glywed ei llais yn tyfu'n fwy brathog. Rhoddodd y ffidil yn y to, er mawr ollyngdod i weddill y cwmni.

'Wel, gwell i Anna a fi fynd i Abermorlais i weld mam-gu Olwen,' meddai Tom wrth yr un gynulleidfa. 'Ti'n gwbod, Olwen, gan fod yr hen gar 'ma 'da chi, fe ddylet ti fynd i'w gweld hi. Braidd y cymriff hanner awr a bydd hi'n falch i roi pryd o fwyd i chi'ch pedair. Wedi'r cyfan, mae yn ych 'nabod chi i gyd ers o'ch chi'n yr ysgol feithrin.' Gwelodd Tom ei gyfle i feirniadu'r penflingo. 'Ond fydd hi ddim yn hapus â'r gwallt, ne'n hytrach y moelni 'na.'

'O'n i'n aros am hwn'na, Dad. Rwy i'n ddeunaw o'd ac rwy'n licio'r ffasiwn 'ma, reit. 'Llwch chi ddim gweud wrtho' i beth i 'neud mwyach. A, beth bynnag, bydd Mam-gu'n lico'r steil 'ma. Rwy i wedi dangos llunie mewn cylchgrone iddi droeon cyn hyn.'

'Olreit, olreit.' Gwyddai Tom yn well na dilyn y ddadl. 'Ond ferched, rwy i o ddifri. Bydde Mam wrth 'i bodd 'sa chi'n mynd i de i Abermorlais. Peidiwch â gad'el i Olwen gadw cyfrinach arall wrthoch chi. Er taw hen bentre glo yw e, ma'r wlad o gwmpas yn hyfryd, on'd yw hi, Olwen?'

'Tan pryd ŷch chi'n mynd i fod 'na, Dad?'

'Paid â becso. Bydda i'n gad'el bore dydd Llun i fynd i'r Eisteddfod.'

'O, ie. Rhyw hen ddwli llenyddol traddodiadol. Lle ma' pawb, hyd yn o'd y dynon, yn gwishgo ffroge hir.' Chwarddodd Olwen fel 'tai am ddangos ei dirmyg at gyn lleied a wyddai am yr Eisteddfod.

''Na beth yw rhagrith,' atebodd Tom. 'Ti'n mynd o boutu'r wlad yn paentio arwyddion ond eto'n wherthin ar ben un o'r sefydliade sy'n cadw'r iaith Gymra'g yn fyw.'

'Ie. Ond, Dad bach, chi'ch hunan 'di gweud wrtho' i droeon fod yr Eisteddfod, ynghyd â chrefydd, yn cyfyngu llenyddiaeth Gymraeg i hen safone. Ma'n hen bryd ca'l papur fel y *Sun* a cha'l Harold Robbins

Cymraeg, yw'ch pregeth ers cyn cof. Pam na 'newch chi rywbeth am yr argyfwng yn lle mynd i'r *Eistedd*fod i *eistedd* o gwmpas? Chi yw'r rhagrithiwr, Dad. Nid y fi.'

Chwarddodd Tom i ysgafnhau'r awyrgylch ac i baratoi i adael i'r merched fynd ymlaen â'u gwyliau. Rhoddodd bumpunt (na allai mo'u fforddio) yr un i'r pedair ohonynt. Gwyddai Olwen yn well na'i feirniadu am wneud hynny. Ni allai byth roi arian i'w ferch ei hun ac anwybyddu'r tair arall. Yn wobr am ddioddef Olwen am bythefnos? Cadwodd Olwen ei cheg ynghau.

Wrth ffarwelio, plesiwyd Tom gan gusanau'r pedair ar ei foch. Fe'i plesiwyd yn fwy gan eu cusanau ar foch Anna. Ac Olwen yn ei hargymell i 'ddod o gwmpas Llunden 'da fi. Welwch chi ddim ond amgueddfeydd a hen furddunod 'da Nhad. Fi sy'n gwbod y ffordd rownd y siope.'

Sylweddolodd Tom fod gan Olwen y gallu i ysgafnhau sgwrs neu'i throi'n ddifrifol fel 'tai'n troi tap dŵr. Bu'n help mawr wrth iddynt fynd 'nôl i'r ceir. Arhosodd y tair ffrind wrth y garafán. Olwen a'i ffarwél cofleidiog, hanner melodramataidd yn y maes parcio. Y goflaid i Anna'n orarddangosiadol.

Wrth iddo anelu at y draffordd a'r haul yn ei lygaid, teimlodd Tom y dagrau'n cronni. Roedd yn dyfal golli cyswllt ag Olwen. Cofiodd ei brifiant ei hunan. Fe'i hanfonwyd i ysgol breswyl ddosbarth canol yng nghanolbarth Cymru. Gorfodwyd iddo dyfu'n annibynnol ar ei rieni pan oedd ond yn un-ar-ddeg oed. Un-ar-ddeg? Rhy ifanc o lawer. Datblygodd ddirmyg at ei rieni cyn cyrraedd ei dair-ar-ddeg. Tybed pryd y datblygodd dirmyg ei Olwen e tuag ato yntau? Mwy na thebyg, ochr yn ochr â dirmyg ei mam. O leia roedd wedi ffoi rhag y dirmyg hwnnw bellach. Ond, am a wyddai, roedd Wendy'n dal i chwerthin am ei ben. Gyda Raymond. Raymond! Y basdad! Pam na allai e fod wedi priodi Wendy 'nôl yn y chwedegau? Y basdad! Raymond. Yn cnychu Wendy ar noson ei phen blwydd yn un-ar-bym-theg. Y basdad! Deirgwaith yr wythnos yn gyson wedyn trwy ei blwyddyn gynta'n y chweched dosbarth. Y basdad! A Wendy wedi llwyr ddotio arno. Y basdad! Yn mynd i ffwrdd i'r Brifysgol ac yn priodi rhyw hwren fan'no. Y basdad! Yn ymddangos 'nôl ar y gorwel wyth-nosau ar ôl i Tom symud i fflat. Basdad o gyd-ddigwydd-iad!

Doedd gan Tom ddim hen gariad o ddyddiau ysgol i ffoi'n ôl ati. 'Na beth a'i digiodd cymaint. Y basdad! Basdad o le yw Abermorlais hefyd. Heblaw am ei fam . . .

Basdad o beth oedd cael ei ddadwreiddio o'r cynefin 'ma yn un-ar-ddeg oed. Pentre diwydiannol. Glofa. Gwaith alcan. Tafarnau. Y *Colliers*. Y *Tinworks*. Ond y *Farmers* hefyd. Cannoedd o bobl yn gweithio'n y lofa a'r gwaith alcan gynt. Basdads wedi cau nawr. Ond y *Farmers* ag enw addas bellach. Tafarn newydd ar lan yr afon ers deng mlynedd a mwy. *The Pickerel. The Pickerel?* Rhyw fasdad o'r bragdy wedi bod i Brifysgol Caer-grawnt. *The Pickerel* wrth Bont Madlen. Llun o bysgod-yn. Pysgodyn Seisnig. Basdads y bragdy'n dinistrio'r Gymraeg. Oedden nhw'n hanner cymaint o fradwyr â Tom? Yn magu dwy ferch ddi-Gymraeg yn Lloegr. Y basdad! Ceisiodd chwerthin. Methu . . .

Cofiodd yn sydyn fod yn rhaid cadw car Anna mewn golwg yn y drych . . . 'Nôl i Abermorlais. 'Dros y mynydd i hela cnau . . . '

Milltir o'r draffordd i'r Bryn. Brynmorlais. Abermor-lais. Un pentre neu ddau? Y Bryn AR y bryn. Aber WRTH yr aber. Aber? Nid i'r môr. I afon fwy. Capel o bob enwad yn y Bryn. Capel o bob enwad yn Aber. Llai na chwarter llawn nawr. Dau bentre neu un pentre? Pwy a ŵyr? Neb yn gofidio mwyach. Pwy yw Tom i ofidio? Ac yntau'n byw yn Lloegr ers ugain mlynedd? Bradwr bro. Yn gachwr ar ei genedl. Teulu di-Gymraeg. Teulu Saesneg. A mwy o ddiddordeb ganddo yn niwylliant Ffrainc nag yn y 'pethe' Cymraeg. Beth yw'r ots? Beth yw'r blydi ots? Rwy i ar y ffordd 'nôl i Aber-blydi-morlais. I wneud 'y nyletswydd i Mam . . . Ac i gnychu Anna!

Pennod 2

Roedd hi'n saith o'r gloch erbyn iddynt gyrraedd cartref ei fam yn Abermorlais. Aros mewn gwestai gwely-a-brecwast oedd sail gwyliau Anna, ond mynnodd Tom y câi groeso cynnes gan ei fam.

'Bu Nhad farw dair blynedd 'nôl ac rwy'n treulio ambell benwythnos 'da hi achos 'i bod hi'n unig. Bydd hi'n falch o'r cwmni ychwanegol. Rwy'n siŵr y dewch chi 'mla'n yn dda 'da'ch gilydd.'

'Wyt ti'n berffaith siŵr o hynny?' gofynnodd Anna. 'Fe ddylwn ffeindio rhywle gerllaw i aros am ddiwrnod neu ddau yn hytrach na chyrraedd yn ddigo'dd ar drothwy dy fam.'

Mynnodd Tom gael ei ffordd er y byddai'n rhaid iddo gysgu ar un o'r gwelyau cul a ddefnyddiai'r merched pan ymwelent â'i fam. Hyd yn oed ag ynte'n bump-a-deugain oed, ei drin fel crwt chweblwydd diniwed a wnâi ei fam. Ar yr un gwastad â'i blant ei hunan. 'Pryd 'neiff hi ad'el iti dyfu fyny?' oedd cwestiwn cyson Wendy bob tro y dôi'r teulu i Abermorlais. Heno, roedd gan Tom gyfle i dorri'n rhydd o'i blentyndod a phiwritaniaeth ei fam. Tybiai, fodd bynnag, wrth gyflwyno Anna iddi na chymrai'r cyfle. Rhythodd ei fam yn hallt arno wrth iddo esbonio ei fod wedi gwahodd yr Americanes i aros am deirnos. Actores o fam oedd ganddo, fodd bynnag, a gwên oedd y cyfan a welodd Anna wrth droi'n ôl o gloi ei char. Roedd yn rhaid fod Mrs Richards yn sylweddoli mai newydd gwrdd roedden nhw gan eu bod wedi cyrraedd Abermorlais mewn dau gar!

Gwyddai Tom mai rhagfarn pentrefwyr Abermorlais oedd yr hyn a ofidiai ei fam. Dyna'r union reswm am ei falchder o fod wedi symud cyn belled i ffwrdd flynydd-oedd 'nôl.

'Croeso i Abermorlais. Croeso, yn wir, i Gymru, Anna. Dewch miwn am ddishgled o de. O ble'r ŷch chi wedi dod nawr? . . . O Ga'rdydd. Na, dyw e ddim yn bell ond ma'r gwaith ar y draffordd o gwmpas Aberafan a Chastell Nedd yn arswydus yn ôl y radio. Ers i Harri, tad Tom, farw, dwy i ddim yn ca'l llawer o gyfle i fynd ar daith miwn car. Dwy i ddim yn gallu gyrru a ma' hi'n rhy hwyr i fi ddysgu nawr. Ma' Tom yn mynd â fi am ambell dro nawr ac yn y man ond does 'na fawr gan y naill na'r llall ohonom i siarad amdano. Un wedi colli gŵr ar ôl dros ddeugen mlynedd a'r llall wedi taflu teulu i ffwrdd. Wel, na, nid taflu i ffwrdd yn hollol, falle . . . Ond gwell i fi beid'o gweud mwy. Dŷch chi ddim isie cl'wed y stwff 'na i gyd. 'Na'r cyfan rwy'n siarad amdano o hyd nawr.'

Wedi dwy neu dair munud arall o fân siarad, cafodd Anna gyfle i fynd i'r tŷ bach. Newidiodd gwedd ac ag-wedd yr hen wraig ar unwaith.

'Beth ddiawl sy ar dy ben di? Yn dod â'r ferch 'na 'ma? Dwy i ddim wedi ca'l tsians i glau. Pam na allet ti roi gwbod i fi ar y ffôn? A ble ŷch chi'ch dou'n myn' i gisgu? Bydden i'n meddwl y byddet ti 'di ca'l hen ddigon ar ôl beth ddigwyddodd 'da Wendy. A beth fydd pawb yn gweud? Fydd y pentre i gyd yn gwbod am hon â'i ladi-da twang American!'

'Gryndwch, Mam,' atebodd Tom yn ei blwc mwya o ddewrder erioed, 'sdim ots 'da fi beth ma'r diawled yn y pentre'n 'i 'weud a sdim isie i chi glau. Ma'r tŷ'n ddigon glân. Ac, yn benna oll, fe fydd Anna a fi'n cysgu 'da'n gilydd heno! Dwy i ddim yn bell iawn o fod yn hanner cant a ma'n hen bryd i chi sylweddoli 'ny!'

' 'Sa dy dad yn fyw 'eddi, fe fyddet ti'n siŵr o'i ddodi

fe'n y bedd ar ôl y difôrs 'na a dod â'r groten 'yn i gisgu 'da ti!'

'Dyw hi ddim yn groten, Mam. Ma' hi'n beder blynedd yn ifancach na fi ac nid yn unig cisgu 'newn ni'n y gwely 'na! Ddylen i iwsio'r geire bras am yr hyn fyddwn ni'n 'i 'neud heno. Bydd menyw capel fel chi'n jocan bo' chi ddim yn dyall. Pam nag o's brawd ne' wha'r 'da fi? Dim ond unweth 'nethoch chi gnychu, Mam?'

'Paid ti â cholli dy dymer 'da fi'r diawl bach! Gair arall am dy dad fel 'na a chei di fyn' odd'ma nawr! . . . O, Anna, chi'n ôl? Pum muned 'da'n gilydd a ni'n dou o hyd yn cwmpo ma's. Ma' Tom yn iawn, wrth gwrs. Dwy i ddim yn gad'el iddo fe dyfu lan. Beth am y ddishgled 'na o de?'

Cyfle i Tom ei hunan fynd i'r tŷ bach o ffordd ei fam a meddwl falle'i fod e'n gwneud ffŵl ohono'i hun wedi'r cyfan. Wrth edrych ar yr hylif melyn yn tarddu o'i gala ac yn tincian i'r lle rhech pinc, clywodd y ddwy'n chwerthin yn iachus lawr yn y gegin. Cuddiodd ei beipen yn ei ddwrn am sawl eiliad o adwaith fel petai'n meddwl eu bod nhw'n chwerthin ar ei goc e. Hyd yn oed petai Anna'n canmol neu'n beirniadu hyd neu led ei gala, allai e ddim dychmygu ei fam yn chwerthin am y fath beth. Gadwodd ei gala'n rhydd cyn ailgydio ynddi wrth wlychu ei draed a'r carped trwchus pinc. Carped pinc! Teimlai o hyd fel petai mewn rhyw buteindy ar bob ym- weliad â'r ystafell foethus hon. Tase rhyw gwmni ffilm yng Nghymru byth eisiau ystafell faddon a thŷ bach addas ar gyfer puteindy, fe alle hi wneud tipyn o arian wrth logi'r lle 'ma allan. Papur blodeuog pinc o siop Laura Ashley, bàth pinc, sinc pinc a lle rhech pinc. Teils pinc a'r carped blewog 'na! Faint o weithie aeth ei dad i'r capel yn syth ar ôl cachu a'i ddwylo wedi eu golchi'n lân ond â channoedd, os nad miloedd, o flew pinc yn glynu wrth goesau'i drowsus!

Amser i siglo'i hen ffrind o'r diferyn olaf a sychu'r pig

â phapur lle rhech. 'Na un peth ddysgodd e gan Wendy. Yn lle cael staen melyn ar ei bants o hyd, roedd sychu ei gala â phapur ar ôl piso'n lleihau'r drewdod ar derfyn dydd. Cofiodd sioc ei fam pan sylweddolodd hi'n fuan ar ôl iddo briodi ei fod e'n newid ei drôns bob dydd bellach. *Ma' glendid yn nesa peth at Dduwioldeb*, meddai'r hen ymadrodd, ond doedd glendid ond yn golygu dillad glân ar y Sul i'w fam. Ie, gweld Wendy'n sychu rhwng ei choesau ar ôl piso rywle flynyddoedd ynghynt pan oeddent yn fodlon piso ym mhresenoldeb ei gilydd ro'dd y syniad iddo fe y gallai ynte wneud hynny hefyd. 'Na un o drafferthion mwya bywyd iddo erbyn hyn. Sut i sychu ei gala ar goedd mewn tŷ bach cyhoeddus? Anghofiai e fyth y diwrnod hwnnw yn Nhwicenham yn saith-deg-chwech. Ar ôl piso'n erbyn y wal, tynnodd fwndel o bapur tŷ bach o'i boced i'w sychu. Edrych i'r naill ochr a'r llall i sicrhau nad oedd neb yn edrych arno yntau. Llais byddarol yn ei glust dde: 'Cyffyrdda di â 'nghoc i, boi bach, ac fe stwffa i d'un di reit lan dy dwll!' Llais cyfarwydd rhyw actor o Sais oedd lawn mor enwog am ei yfed a'i ymladd ar goedd â'i actio. Ffôdd Tom o'r pisdy hwnnw a 'na'r tro ola iddo geisio sychu'i gala ar goedd!

'Beth wyt ti'n 'neud lan 'na? Ma'r te 'ma'n oeri!' Llais ei fam yn ei ddenu'n ôl i'r presennol.

Siglad fach arall i wneud yn siŵr, ond na, dyw'r gwaed ddim ar fin llifo nawr! O bob amser! Ceisiodd anghofio am ddigwyddiade Sain Ffagan ond sylweddolodd fod pethe'n rhy fyw yn ei gof. Sdim i'w wneud ond y tap dŵr oer i dy ddodi di'n dy le, ngwas i!

'Wyt ti'n cisgu lan 'na, ne' rwbeth?' Llais ei fam eto i fyny'r grisie. 'Ma'r dŵr 'na'n rideg ers oeso'dd 'da ti! Wyt ti'n olreit?'

'Odw, Mam, w! Wy'n rideg y dŵr ô'r dros 'y nhra'd achos 'u bod nhw'n rhy dwym! Byddai lawr mwn whincad whannen!' Pam nad ei di lawr, y ffycin pric? Ceisiodd feddwl am drybini rygbi Cymru, sgôr criced Morgannwg, gwleidyddiaeth, glaw a wynebau hyll, ond na, gwrthododd ei gala feddwl am unrhyw beth ond corff Anna. Dŷn ni ddim wedi'i gweld hi'n no'th hyd yn hyn, meddyliodd Tom wrth geisio cloi'r hen Wili'n ôl yn ei garchar trowsusol. Ar ôl golchi ei ddwylo ar frys eto, cipolwg arno'i hun yn y drych cyn mentro at y ffrae i lawr y grisiau.

'Ma' Anna 'di bod yn gweud wrtho' i ffor' gwrddoch chi heddi yng Ngha'rdydd.' Llwyddodd ei fam i syfrdanu Tom â'i chroeso sydyn i'r Americanes dwanglyd. 'O'n i'n gweud wrthi dy fod ti'n gwbod gimint am hanes lleol yr ardal 'ma. 'Di llwyr ymgolli yn y pwnc ers o'dd e'n grwt bach ysgol, chi'n gwbod. Pan o'dd e'n dair-ar-ddeg o'd 'nillodd e wobr mwn cystadleu'eth ysgrif am Fy Ffrind Gore. Sgrifennodd e, Tom, am hen foi lawr 'n y pentre o'dd yn gwbod popeth am hanes yr ardal. O'dd e'n hala'i wylie a'i amser sbâr i gyd 'da Gwilym Huws, 'na beth o'dd enw'r hen foi. A ma' 'na gimint o gestyll rown fan 'yn. A'th e â chi o gwmpas y castell yng Ngha'rdydd heddi, do fe? Wel, ma'n rhaid iti fynd ag Anna i weld Carreg Cennen. Ma'i blant e'n lico mynd i Garreg Cennen, chi'n gwbod. O, ma'n ddrwg 'da fi ond ddylen i ddim siarad amdanyn nhw 'da chi.'

'Mrs Richards, er i ni gwrdd â'n gilydd ond ychydig oriau'n ôl, rŷn ni wedi cyfnewid nifer o gyfrinachau. Ac, er 'y mod i dipyn yn iau na Tom, ma' gen i dri o blant. Rwyf wedi ysgaru ers rhyw wyth mlynedd a dyw ysgariad, y canlyniade a siarad am y plant ddim yn fy nhrafferthu bellach. Ma' ysgariad mor gyffredin heddiw yn yr U.D.A. fel bod 'na fawr iawn o ragrith na chasineb yn ymwneud â'r pwnc. Os ŷch chi am adael i Tom dorri'n rhydd, rhaid i chi fod yn fodlon siarad am ei ysgariad a'i blant, hyd yn oed â rhywun fel fi. Dros baned o goffi'r bore 'ma roedd Tom yn dweud mai fe yw'r cynta'n eich teulu i ysgaru a'ch bod chi'n gofidio am atgasedd pentrefwyr Abermorlais. Anghofiwch amdanyn nhw,

Mrs Richards. Rhagrithwyr yw'r rhan fwyaf ohonyn nhw. Rhaid i chi fyw eich bywyd chi'ch hunan.'

Croesodd Anna o'i chadair freichiau a phenlinio wrth gadair uchelgefn yr hen wraig a'i chofleidio'n gariadus. Daeth dagrau melodramatig i lygaid Tom wrth weld ei fam, mewn blows flodeuog, felen, uchel ei choler a throwsus brown crimplîn, ffasiwn cymaint o hen fenywod Cymru. A'i breichiau ar gefn Anna yn ei gwisg o sidan glas, roedd y gwrthdaro rhwng dillad gwylaidd ei fam a dewrder merch estron iau â'i gwisg strapiog, hafaidd yn ddifesur. Ni welodd Tom ei fam erioed yn gwisgo'r fath ddillad hanner dewr. Roedd y corff i genhedlaeth ei fam yn rhywbeth i'w guddio ar bob achlysur.

'Sdim ll'wer o fwyd 'da fi'n y tŷ i chi'ch dou heno,' meddai'r hen wraig o ganol y goflaid. 'Falle bydde *fish an' chips* yn olreit i chi, Tom. Fydd hi'n rhaid iti fynd i'r Bryn achos taw teulu o Tsieina sy'n rideg yr hen siop lawr yn Aber.'

'Pam nad af i â chi'ch dau allan am swper heno i ddiolch am eich croeso?' atebodd Anna wrth ei rhyddhau'i hun o freichiau Mrs Richards.

'Na, cerwch chi'ch dou. Ond dewch miwn â'ch stwff o'r car, Anna. Fe ddangosiff Tom ichi lle chi'ch dou'n cysgu.' Nododd Tom y gorbwyslais ar y 'chi'ch *dou*' fel petai'n gas at ei fwriad i rannu gwely gydag Anna neu, efalle, fel 'tai'n pwysleisio'i bod yn derbyn y sefyllfa.

Ymhen pum munud, roedd Tom yn cario ces Anna i'r ystafell lle rhannodd gynt lawer noson oer gefn wrth gefn gyda Wendy. Penderfynwyd bod angen newid dillad ar frys a mynd i Abertawe am bryd Indiaidd. Wrth iddo hongian ei siwt yn y cwpwrdd, cafodd Tom hanner cip ar Anna'n codi ei gwisg dros ei phen. Trodd ar frys i gael ei olwg gyntaf ar ei chorff gwyn heb ddim amdano bellach ond rhyw dinbais fregus o sidan gwelwas. Tinbais yn wir gan nad oedd y dilledyn pitw ond braidd yn cuddio'r ddwyfoch. Pan blygodd i estyn am rywbeth o'i ches, ymddangosodd yr hollt wefusol, binc, a'i hamgylchedd yn doreth o flew du'n ceisio cuddio'i dirgelwch rhwng ei morddwydydd llyfn. Ymhen eiliad neu ddwy, safai Tom wrth ei thin â'i gala'n caledu'n unionsyth i wthio'n benderfynol i'r agen laith.

'Dyw'r drws ddim ar gau. Fe glywiff dy fam,' meddai wrth ledu ei thraed i'w dderbyn. Llithrodd ei sythder yn esmwyth i'r gwlypter llifeiriol wrth iddo ateb: 'Ar hyn o bryd, fydde dim ots 'da fi tase cymanfa wrth y drws. Ma'n rhaid dy gnychu di.'

A hi'n dal i blygu dros y ces, estynnodd yn ôl am law dde Tom a'i harwain o gwmpas ei chorff.

'Rhwbia 'nghlitoris! Dwy i ddim am golli cyfle arall. A gwthia'n galed! . . . Ond ddim yn gyflym! . . . 'Na fe, fan'na! . . . Cadw ati i rwbio fan'na! . . . O! . . . Paid â stopio! . . . '

Ceisiodd Tom anghofio am bresenoldeb gwaharddedig ei fam rywle'n y tŷ. Roedd y sgweltsian o gont Anna wrth iddo wthio i mewn a thynnu allan mor glochuchel fodd bynnag! . . .

'Rwy i ar fin dod! . . . Nawr! . . . Cyflymach! . . . Paid â'm brathu! . . . Ie! . . . O, ie! . . . Gwasg 'y nghlitoris yn g'letach! . . . Ie! . . . 'Na fe! . . . Nawr! . . . OOOOOOO!'

Ar hyn, teimlodd Tom ei chont yn ei wasgu rhwng ei gwefusau isol. Rhyw deimlad rhyfedd na phrofodd mono erioed o'r blaen. Aeth rhyw gryndod gwefreiddiol ar hyd y nerfau'n ei gala. Ond y hi oedd yn crynu! Nid ei gala! Ei chont hi! Roedd fel 'tai ganddi gyhyre bach ar hyd y twll gwlyb 'na. Yn sydyn, collodd bob rheolaeth ar ei gorff wrth i'w gala hyrddio i'w pherfedd. Teimlodd binnau bach yn lledu o'i draed i fyny ar hyd ei goesau. Braidd y gallai sefyll heb bwyso arni. Braidd yr oedd hi'n sefyll bellach â'i hwyneb bron wedi'i gladdu yn y domen ddillad yn y ces. Deffrôdd o'i lesmair pan sylweddolodd ei bod hi'n crio'n ysgafn i'r dillad.

'Be sy, 'nghariad fach? Dwy i ddim wedi rhoi lo's iti,

odw i? Ma'n ddrwg iawn 'da fi os odw i.' Hyn i gyd wrth ei ddatglymu'i hun o'i chorff llipa a thynnu ei gala o'i gwlypter. Deilliodd sŵn fel rhech o'i chont a pheri iddi ddechre chwerthin yn histeraidd a throi ei phen ar ei ochr i gilwenu arno. Glynodd tresi o'i gwallt yn wlyb wrth ochr ei hwyneb a'i thalcen. Rywsut, gwelodd Tom brydferthwch rhywiol ynddi nad oedd wedi ei ganfod er pan oedd Wendy'n ifanc ac yntau'n gocwyllt amdani bob eiliad o'r dydd a'r nos. Hynny, wrth gwrs, cyn iddynt briodi a dechre mynd dan gro'n 'i gilydd.

' 'Na'r peth gore am gnychu, Tom. Ma' popeth yn y pen draw yn dod i lawr i elfenne sylfaenol y corff. Dyw 'nhin i a 'nghont i ddim yn bell iawn oddi wrth ei gilydd.'

'Ma' 'na dipyn o wahani'eth rhwng prydferthwch y naill a budreddi'r llall, on'd o's? Ma' 'na elfen o garthu'n cysylltu'r ddou, falle, ond 'do's 'da fi ddim diddordeb ond yn un ohonyn nhw.'

Prin y gallai Tom gredu ei fod wedi ynganu'r brawddegau 'na. Gwyddai fod y sgwrs yn syrthio i lefel go isel, ond am ryw reswm roedd yn hollol naturiol gydag Anna.

'Beth 'wedest ti? Dim ond un? Nawr ac yn y man, fe fydda i'n frwd am ga'l fy nhreisio yn fy nhwll tin yn lle fy nghont. Ma'r ffaith fod 'na ryw elfen anghyfreithlon yn yr act yn ehangu'r cyffro. Does 'na'r fath orgasm i'w gymharu!' Cododd ei llais i gywair uchel a bu'n rhaid i Tom roi ei fys ar ei wefusau i'w hannog i dawelu. 'Fydd hi'n rhaid gohirio'r sgwrs tan amser mwy cyfleus, alla i weld, ond ma'r corff i gyd yn rhywbeth i'w fwynhau. Roeddwn i wedi clywed am dawedogrwydd y Saeson, ond rwyt ti, Tom Richards, yn rhywbeth arall eto.'

Roedd ar fin ei hateb 'nôl ond gwyddai ei bod yn iawn, wrth gwrs. Clywodd ymffrost clochuchel Americanwyr droeon ar strydoedd Llundain a Pharis, ond doedd e erioed wedi clywed y fath siarad agored â hyn. Mwy neu lai drwy'r dydd, roedd ei hyder yn cael ei chwalu gan orhyder Anna, ond roedd yn rhywbeth a'i denai i fod yn fwy hoff ohoni. Ei charu? Wel, na. Roedd y berthynas mor gorfforol. Mor sydyn, yn wir. Llongau'n pasio'i gilydd gyda'r nos, efalle. Wyddai e ddim. Fydde'r 'Werydd yn eu gwahanu ymhen ychydig wythnosau, ond, wedi blasu'r gwin, pwy a wyddai?

'Ma'n rhaid i mi ga'l cawod nawr. Helpa fi ar fy nhraed, 'nei di. Ma'r bàth yn ddigon mawr i'r ddau ohonom. Ti'n meddwl fydd ots 'da dy fam di?'

Mewn ugain mlynedd o briodas, doedd Tom erioed wedi rhannu bàth gyda Wendy yng nghartre'i rieni. Gyda'r plant pan oeddent yn fychan, do. Ond ddim gyda Wendy.

'Pam lai? Rwy i wedi cicio fwy yn erbyn y tresi heddi na 'nes i 'rio'd o'r bla'n. Rwyt ti, Anna ddewr o Boston, U.D.A., wedi agor 'y'n lyged i. Rhoi bywyd newydd i 'nghala i 'fyd. Dere 'mla'n i wmolch ac wedyn mi af i â ti i'r Mwmbwls i weld y môr yn y t'wyllwch. Cawn rannu llien rhyngddon ni. Hei, dwyt ti ddim byth yn gwishgo bra? Ma' dy fronne di'n pwyntio'n syth ata i.'

Troellodd fel aelod noeth o ddawnsgor. Gwasgodd ei dwyfron at ei gilydd a'u hysgwyd yn awgrymog. Teimlai Tom ei bod yn chwarae rhyw gêm gydag e ond roedd e'n mwynhau'r gêm ar hyn o bryd, beth bynnag fyddai'r canlyniadau. Canlyniadau? Pa ganlyniadau allai ddinistrio'r pleser o fwynhau'r ddawns nwyfus? Byddai pobl yn talu ffortiwn yn ninasoedd mawr y byd am y fath ddifyrrwch a dyma lle'r oedd e, Tom, yn mwynhau perfformiad preifat, digywilydd.

'Ar ôl ca'l y plant, fues i'n bola-ddawnsio am gyfnod i ennill tipyn ychwanegol o fywoliaeth ac i gadw 'nghorff mewn siâp.' Roedd ei chorff mewn cyflwr digon da i gadw Tom yn hapus am y tro. Eisteddodd yn ôl ar y gwely yn ei bleser.

'O'dd 'y nghorff i'n arfer bod yn wych un adeg, ond . . . '

'Dwi ddim yn cwyno. Rwy i bron â marw isie sugno ar dy dethe di . . . Gad i fi 'neud 'ny nawr.'

'Paid! Dere i'r bàth nawr. Ar unwaith. Neu fydd dy fam yn dechre meddwl fy mod i'n dy arwain di ar strae!'

Sbonciodd yn noeth drwy'r drws i gyfeiriad y bathrwm yn cario bag dros un ysgwydd. Wrth edrych ar ei phen ôl, gwelodd Tom y pâr o glustogau sylweddol yn taro'n baffiol yn erbyn ei gilydd. Tin athletaidd dawnswraig. Bron â bod yn din bachgenaidd. Mor wahanol i din Calipygiaidd Wendy. Calipygiaidd. Ar ôl cael y plant, ehangodd tin Wendy'n gyfandirol. Calipygiaidd. Un o'r geiriau hynafol, diwerth hynny nad oes a wnelo nhw ddim byd â bywyd cyffredin. Calipygiaidd. Gair am ffolennau mynyddol. Calipygiaidd. Cyfieithodd Tom y gair wrth orfod byw yng nghwmni tyfiant tin Wendy. Arhosodd Anna wrth ddrws y bathrwm a hanner troi i'w wynebu â gwên lydan.

'Dere 'mla'n. Dere, os wyt am i fi rwbio sebon yn dy gala di o dan y gawod. Ma' hi'n hen bryd pwyso dy gŵd a mesur dy gala!

Pennod 3

Ddwyawr wedyn, hanner ffordd trwy *Biryani* mewn bwyty Indiaidd yn edrych o'r Mwmbwls ar draws Bae Abertawe, roedd Tom yn ei elfen. Fel pob Cymro, tuedd i siarad gormod oedd ei wendid. Dau beint a hanner o lagyr ac roedd yn hollol dafotrydd.

'Beth allwn ni'i 'neud? Ma' isie diwydiant o bob math ar hyd a lled Cymru i greu gwaith lawr 'ma. Taeogion i'r Saeson, Almaenwyr neu Siapaneaid yw'r mwyafrif ffor' hyn. 'Sa'r gwaith dur a'r pwerdy uffernol 'na ddim draw fan'na, fe fydde'r olygfa'n aruthrol ar draws y bae. Ond pa ddefnydd yw golygfa os nag o's gwaith i bobol fyw'n yr ardal?'

'Ma' cannoedd o ardaloedd adre'n yr U.D.A. â'r un broblem, ond gwranda, ma'n rhaid i fi fynd i'r tŷ bach am funud ne' mi fydda i'n byrstio. Gofynna am siandi arall i fi, os gweli di'n dda. Ces i flas ar hwn'na ac ma'n help i gadw 'nhafod yn oer wrth fwyta cyri.'

Ffwrdd â hi ar hanner carlam i gyfeiriad y tŷ bach â'i bag ysgwydd yn taro'n rhythmig yn erbyn ei hochr. Am eiliad neu ddwy ar ôl iddi ddiflannu trwy'r drws, parhaodd ei delwedd yn llygaid Tom. Cofiodd weld arbrawf unwaith mewn amgueddfa i ddangos gallu'r cof i gadw delwedd yn y llygaid am rai eiliadau. Roedd 'na ddisg â llun o aderyn ar un ochr a chaets gwag ar yr ochr arall. Wrth droi'r ddisg yn gyflym er mwyn gweld y naill ochr a'r llall, ymddangosai'r aderyn yn gaeth yn y caets. Delwedd Anna oedd o'i flaen nawr. Yn ei sgert gwta wen ynghlwm yn dynn wrth ei thin. Allai e ddim gweld amlinelliad ei nicers drwy'r sgert am ei bod yn gwisgo rhyw driongl pitw o G-string a llinyn tenau, careiog yn gweu'n fasweddol i fyny hollt ei thin. Llesmeiriwyd Tom ynghynt wrth ei gweld yn gwisgo ar ôl eu cawod. Roedd Wendy wedi bod yn cuddio'i chorff ers blynyddoedd. Yn gwisgo tu ôl i'w gefn. Yn gwisgo dillad huganol. Yn cuddio'i delwedd Galipygiaidd. Doedd 'na, fodd bynnag, ddim swildod ynglŷn ag Anna wrth iddi baratoi i fynd allan heno. Ar ôl tynnu'r garrai fregus yn dynn i'w thin a'i chuddio â'r sgert fer 'na, bu'n sefyll yn fronnoeth o flaen drych yn brwsio'i gwallt ac ymbincio am ddeng munud gyfan, anghredadwy i Tom. Wedyn, tynnodd fest sidan werdd hanner tryloyw dros ei hysgwyddau a dau linyn main i'w dal i guddio'i llawfron. Llawfron. Gair hynafol arall i ddenu sylw unrhyw ddyn yn ei anterth rhywiol. Llawfron. Hen air yn golygu dewrder. Llawfron. Mynwes. Llawfron. Ei law ar ei mynwes. Llawfron. Ei law ar ei bron. Llawfron. Cofiodd gwrdd â merch yng ngwersyll yr Urdd yng Nglan-llyn yn y chwedegau a chanddi fronnau eliffantaidd. Hoff gwestiwn 'yr hogie' iddi drwy gydol yr wythnos oedd: 'A beth yw'ch enw chi 'te, cariad?' 'Bron,' oedd yr ateb diniwed bob tro heb argoel ei bod hi'n deall mai tynnu'r pìs oedd pwrpas y cwestiwn. Llawfronnau. 36? 38? 40? Unrhyw fron. Denodd y fest werdd Tom yn ôl i'r presennol wrth i lawfron Anna siglo'i ffordd yn ysgafn 'nôl o'r tŷ bach.

'Cod dy dro'd dde lan ar 'y mhen-glin,' meddai wrth eistedd a'i wynebu eto. ' 'Na fe, gad i fi dynnu dy esgid a'r hosan i ffwrdd. Nawr, symuda dy gader yn nes at y bwrdd ac fe dynna i'r bwrdd yn nes ata i.'

Teimlodd Tom ei droed yn cael ei harwain ar hyd morddwydydd oeraidd Anna. lledodd hithau ei choesau i adael i fawd ei droed gyffwrdd yn ysgafn â rhywbeth blewog! Rhywbeth blewog? Roedd hi'n defnyddio'i fawd i rwbio'i chlitoris! Â winc o'i llygad a gwên lydan, estynnodd am ei fforc ag un llaw a dal i rwbio â'r llall.

' 'Ma'r ffordd i fyta mas, nag e fe?'

'Dwy i ddim wedi 'neud hyn o'r bla'n. Dwy i ddim wedi'i ga'l e 'di'i 'neud i fi, yn hytrach.' Roedd llygaid Tom fel dwy soser ar ei wyneb wrth edrych yn syth i'w llygaid direidus. 'Ma' pobol bownd o fod yn gwbod beth ni'n 'neud.'

'Ffwcio nhw! Ffwcio pawb! Rwy'n mwynhau'n hunan fwy nag rwy wedi'i 'neud ers wyth mlynedd. Mwy na hynny os 'nei di gyfri'r amser pan oedd Pierre a finne prin yn siarad 'da'n gilydd. 'Ma'r tro cynta i fi ad'el yr U.D.A., ac ar ôl cwrdd â ti heddi rwy am fwynhau gweddill 'y ngwylie. Ma' fel 'sa'r cemeg rhyngddon ni wedi bod yn iawn drwy'r dydd ac rwy am dy fwynhau di. Beth fydde'n well 'da ti, nawr? Bod 'ma ar dy ben dy hunan ne' gosi 'nghlitoris a rhoi pleser i fenyw ganol o'd?'

'Rwyt ti, Anna fach, wedi agor 'yn llyged i heddi. Ynghyd ag agor dy goese ar bob cyfle. Rwyt ti·wedi dangos i fi ffor' i fyw 'to!'

'Rwy'n gobeithio fod y ddau ohonom yn dysgu sut i fyw eto. Pan o'wn i'n ifanc ac yn caru, roedd Pierre yn 'neud y pethe mwya hyderus. Roedd 'na ofn arna i beth fydde pobl yn 'i ddweud. Nawr, a finne chwarter byd i ffwrdd o'm cynefin, does neb yn fy nabod i a 'sdim ofn arna i i gerdded o gwmpas heb nicers.'

'Beth?' Poerodd Tom hanner llond ceg o reis ar draws y bwrdd. 'Dim nicers? Ond o'n i'n meddwl? . . . '

'Dynnes i nhw bant pan es i i'r John. Ro'wn i'n dwym rhwng fy nghoese. Ro'dd chwant arna'i i ga'l dy fawd i chware â 'nghlitoris. Syml. Dim nicers!'

Syrthiodd troed Tom yn is i'r gofod rhwng ei morddwydydd wrth iddi ledu ei choesau eto. Clywodd hi'n ochneidio'n rhy uchel i'w fawd lydanu gwefusau'i chedor . . .

* * *

'Welest ti'r pâr stwfflyd 'na o'dd ar y bwrdd nesa ato'
ni? Ro'wn i'n siŵr eu bod nhw'n dod o ryw Feibl-belt
Cymraeg ne' rwbeth. O's 'na'r fath beth yn bod yng
Nghymru?'

'Dyw Cymru'n ddim byd ond Beibl-belt ar go'dd. Ond
tu ôl i'r cyrtens rhwyd, ma' 'na g'lonne'n curo a chalie'n
caledu. Fetia i fod y fenyw 'na'n prysur sugno cala'i gŵr
ar yr union eiliad hon wrth yrru'n ôl i barchusrwydd
Sgeti ne' Gwm Tawe.'

'Pwy, Tom Richards, ddysgodd iti siarad mor frwnt?
Pwy 'nath dy ddeffro di o'th gwsg moesol?'

'O, dim ond rhyw buten o'r U.D.A., ti'n gwbod.'

'A phwy yw hi, 'tc?'

'Rhyw buten sy ddim yn gwisgo nicers ar strydoedd y
Mwmbwls gyda'r nos.'

'A dim ond yn gwisgo sandale ym maes parcio Rhosili
am un o'r gloch y bore!'

Roedd y ddau'n cerdded yn hamddenol i 'weld y môr o
ben y clogwyn uwchben Pen-y-Fantach'. Wedi dilyn y
llwybr i lawr at lefel y dŵr, safai Tom wrth ymyl y sarn.
Pan fo'r llanw i mewn, mae'r twmpath uchel o dir yn
ynys. Tynnodd Anna ei sgert wen a'i fest werdd oddi
amdani a chwifio'r ddau ddilledyn o gwmpas ei phen fel
hofrennydd.

' 'Ma beth rwy'n 'i alw'n wylie, Tom. Ca'l bod yn rhydd
o bob gofid. Dim byd i'm llyffetheirio. Dim plant i ofidio
amdanyn nhw. Dim gwaith. Dim dillad. Dim ffycin
dillad! Dim ffycin nicers!'

Gwyrodd Tom ei ben wrth i'r sgert bitw hedfan ato.
Collodd olwg ar y fest yn yr hanner tywyllwch. Roedd hi
'mhell o fod yn lleuad lawn ond roedd 'na ddigon o
oleuni i weld Anna'n llamu ac yn ffugio dawnsio ar y
traeth caregog. Ymddangosai fel ysbryd gwyn
breuddwydiol. Ar ôl y lagyr a'r cyri, achosodd y
perfformiad i Tom deimlo'n benfeddw. Eisteddodd i
lawr i ddal ei anadl ond dal i ddawnsio'n hunllefus o'i

flaen wnaeth Anna. Nesaodd yr ysbryd gwyn, noeth ato a'i breichiau'n chwifio o'i chwmpas a'i gwallt hir, du fel y frân yn cael ei daflu fel barcud o gwmpas ei phen. Teimlai Tom fel petai'n syrthio i swyngwsg . . .

. . . Ymddangosodd ei fam yn cerdded ato o'r tonnau gan afael yn llaw Wendy ar y naill ochr ac Olwen a Mary ar y llall. Clywodd Tom y pedair ohonynt yn beichio crio ac udo ac ochneidio fel côr o fwganod. Gwnaethant gylch o'i gwmpas a dechrau dawnsio wrth afael yn nwylo'i gilydd. Y pedair mewn gwisg wen. Yn llaes at y llawr ac yn dynn at eu gyddfau. Wrth ddawnsio stepiau digyswllt, dechreuasant ganu pennill Saesneg cynta ei hoff gân roc *'Je te donne'* gan Jean-Jacques Goldman a Michael Jones o Ffrainc:

I can give you a voice bred with rhythm and soul
From the heart of a Welsh boy who's lost his home . . .
Lost his home . . . lost his home . . . lost his home . . .
. . . lost his home . . . lost his ho . . .

Eco drosodd a thro o'r gair poenus fel cur yn ei ben. Trodd yr olygfa o'i amgylch fel olwyn. Pedwar corff ys-brydol gwyn o fewn cyffyrddiad llaw. Roeddynt wedi tynnu'r dillad oddi amdanynt a gwthio'u boliau i'w wyneb. Diniwed hollol oedd triongl cul Mary yng nghanol ei phelfis. Doedd Tom ddim wedi gweld ei blant yn noeth ers blynyddoedd. Doedd yr hyn a welai nawr o Mary prin wedi newid. Daliai i fod yn wyryf o blentyn diniwed yn ei olwg.

Disodlodd Olwen ei chwaer a chwifio'i chala talsyth i gyfeiriad ei drwyn. Cala? Ond merch yw Olwen! Sgrech-iodd ar dop ei lais: "Sdim un o'r rheina 'da ti! Merch wyt ti! Un o'r merched prydfertha weles i 'rio'd! Ffor' alli di ga'l cala a blew tywyll a thithe'n bryd gole?" ' 'Nhad bach,' atebodd yr hunllef, 'dŷch chi ddim wedi bod yn ddigon o ddyn yn ein teulu. Doedd dim dewis 'da fi. Os o'ch chi'n ormod o gont i gadw'ch teulu 'da'i gilydd, ro'dd rhaid i fi dyfu sgrotwm i gadw 'môls ynddo. Dŷch chi ddim yn dad i fi mwyach! Dim ond rhyw gachwr sy 'di cerdded ma's o 'mywyd! Ffyc off!'

Roedd chwys yn diferu o bob modfedd o'i gorff pan ddaeth Wendy i'r golwg. Wyneb ifanc, fel yn y dyddiau cyn iddynt briodi. Roedd y tethau ar flaen ei bronnau'n ymestyn at ei botwm bol ac yn gwegian yn llawn o laeth. Winciodd ei botwm bol rhwng y ddwy deth frown. I ehangu'r olygfa Seiclopaidd, roedd gwên o graith hanner lleuad histerectomi o dan ei bol. Llifai afon goch rhwng ei choesau i'r môr. A miliynau o longau hwylio bychain yn ceisio hwylio tuag ati. Sberm unigol wrth y llyw ar fwrdd pob llong. Dechreuodd Wendy biso i'r gwaed rhwng ei choesau a bu'n rhaid i'r llongau droi'n ôl, bob un.

Daeth ei fam i wthio Wendy'n rymus i'r naill ochr, ond prin y gallai hithe sefyll ar ei thraed. Yn un dwrn roedd ganddi botel hanner gwag o wisgi. Daliai un o'i bronnau yn y llall a'i phwyntio at Tom. 'Dere mla'n, yfa rwbeth, y diawl bach. Falle'r ei di i gysgu wedyn yn lle 'nghadw i ar dd'un trw'r nos.' Câi drafferth i sefyll, sylwodd Tom, am fod un o'i choesau'n stwmp o bren. Taflodd Tom ei ben i'r naill ochr a'r llall i geisio osgoi'r hunllef arswydus. Po fwya y ceisiai osgoi'r pedair gwrach noeth, mwya eglur a chlochuchel y dôi'r delweddau . . .

*   *   *

Teimlodd fraich dyner yn disgyn ar ei ysgwyddau a'i fochau'n cael eu gwlychu gan gusanau gwlyb, gwefusol.

'Be sy, 'nghariad i? Wyt ti'n iawn? O'wn i'n meddwl y byddet ti'n mwynhau 'mola-ddawnsio i. Falle'i bod hi'n hwyr. A ti wedi yfed y cwrw 'na . . .?'

'Fydda i'n iawn m'wn muned. Rwy'n olreit iti. Dda'th rwbeth drosto' i, 'na i gyd. Dim ond muned ne' ddwy.'

Aeth Anna ati i chwilio am ei dillad. Wrth eistedd wrth ei ochr ar ôl eu casglu, pwysodd hi'n ysgafn ar ei ysgwydd. Ymhen hanner eiliad trodd Tom ati'n sbeitlyd a'i gwthio'n nerthol ar ei chefn. Trawodd ei phen ar garreg fain a rhoes waedd fwganol i dorri ar draws curiad rheolaidd y tonnau. Gwelodd Tom nad oedd hi'n ddiymadferth. Dechreuodd hi lefain heb hunanreolaeth. Penliniodd Tom rhwng ei choesau a'u lledu rywsut rywfodd. Pwysodd ymlaen i roi ei law chwith i atal yr ochneidio crio o'i cheg. Agorodd ei gopis â'i law dde, ac er iddo gael trafferth, tynnodd ei gala drwchus allan o'i chuddfan. Heb deimlo i weld a oedd hi'n wlyb ai peidio, rhodd hergwd iddi i mewn i'w thwll a chychwynnodd wthio'n gyflym ac afreolaidd. Â phob gwthiad, teimlodd hi'n gwlychu wrth yr eiliad. Teimlodd y graean yn boenus ar ei bengliniau ond daliodd ati i wthio'n galetach fel petai am dalu'r pwyth yn ôl i rywun am rywbeth. Pallodd y crio a'r ochneidio a gollyngodd Tom hi'n rhydd o'i law chwith. Dechreuodd hithe'n ei thro wthio'i phelfis i gwrdd â phob ergyd o'i gala. Edrychodd Tom tua'r orynys ar y gorwel. Yno, ar y drumwel, gwelodd y pedair gwrach – ei fam, Wendy, Olwen a Mary – i gyd yn rhedeg nerth eu traed i gyfeiriad Môr Iwerydd.

Gwasgwyd ei gala gan gedor cyhyrog Anna unwaith eto a theimlodd ei orgasm yn taranu'n deilchion y tu mewn iddi. 'Ffwciwch bant, yr hwrod! Ma' 'mywyd i newydd ddechre! 'Sdim isie'ch help chi arna i mwyach. Bygrwch hi o 'ma, 'newch chi!'

A syrthiodd yn swmp ar y corff gwyn, meddal oddi tano . . .

Doedd ganddo ddim syniad am faint o amser y bu'n cysgu, ond teimlo'r dannedd miniog ar ei ysgwydd barodd iddo ddeffro.

'Hei! Rwy'n ffycin rhewi nawr, ti'n gwbod! Sbort yw sbort ond dwi ddim am farw o oerfel. Dere, 'nghariad i. Ma' 'nghefn i'n blydi poenus.'

Agorodd Tom ei lygaid i hanner goleuni'r wawr a gwaed sych crafiadau ar ochr wyneb Anna. rhyw hanner cof yn unig oedd ganddo am yr hyn oedd wedi digwydd yn yr oriau mân. Trawodd gordd ochrau ei ben. Roedd ei goes chwith yn cysgu'n anystwyth o anghyfforddus. Wrth godi'i bwysau oddi ar ei chorff, gwelodd linellau ar groen ei bronnau lle'r oedd ei grys wedi'i blethu rhyngddynt. Dwy wniadur fawr frown oedd ar gopâu'r ddau fynydd. Gwyrodd ei ben i sugno un ohonynt. Llond dwrn o'i wallt yn cael ei dynnu ar gorun ei ben . . .

'Ma' 'na le a ffycin amser i bopeth, y basdad! Rwy mewn poen, w! Gad i fi godi odd'ma, 'nei di?'

Cododd Tom ar ei draed yn ara' bach ac edrych ar y corff marmoraidd ar y llawr o'i flaen.

'O'r ffycin diwedd! Dwy i ddim yn gwbod beth ddigwyddodd iti gynne ond rwy'n gobeithio na fydda i'n agos atot ti'r tro nesa ddigwyddiff e.'

'Sori,' ymatebodd Tom. 'O'dd y cwrw'n ormod i fi. Dwy i ddim yn yfed yn aml, ond, nawr ac yn y man . . . Wel, rwy'n gweld pethe. Dýn nhw ddim yn bethe neis. Ma'n flin 'da fi. Gad i fi weld dy gefen di.'

Wrth i Anna godi ei hysgwyddau'n wyliadwrus, glynodd ei fest wrth ei chefn.

'Rwy'n teimlo fel 'sa cant o gyllyll bach yn 'y nghefn. Edrych arna i. A ma'r fest 'ma'n llawn o farciau gwaed.'

Llifodd ton ar ôl ton o euogrwydd a chydymdeimlad dros Tom wrth iddo sylweddoli beth oedd wedi digwydd. Fel popeth arall dros y blynyddoedd diwethaf, synhwyrai ei fod wedi dinistrio'r berthynas newydd 'ma.

'Wel, helpa fi ar 'y nhraed, 'nei di. Os wyt ti am i 'nghorff g'wero digon i ti gael 'y nghnychu i eto nes 'mla'n heddi, y peth lleia alli di'i 'neud yw edrych ar f'ôl i.'

'O'n i'n meddwl, ar ôl beth ddigwyddodd gynne, y byddet ti am fynd a'm gad'el i ar unw'eth.'

'Beth? Ar ôl yr orgasm 'na? Dim ond am dy fod ti ar ganol d'orgasm di, dyw hi ddim yn golygu nad wy' i wedi cael rhyw brofiad anhygoel. Ma'n werth cael y dillad

brwnt 'ma a'r gwaed drosof i gael dod fel'na. Rwy'n
ffycin oer nawr, cofia. Taset ti'n hanner bonheddwr, fe
fyddet ti'n rhoi dy grys a'r jîns 'na i fi. Wedi'r cyfan, ma'
pâr o *bocsers* 'da ti.'

Tynnodd Tom ei grys-T dros ei ben a'i roi iddi. Braidd
y gallai ddeall ei hymateb ond tynnodd ei jîns a'u hestyn
iddi. Pwysodd hi'n ei thro arno wrth wisgo'r trowsus. Ar
ôl troi'r llodrau i fyny ychydig am ei choesau, taflodd ei
breichiau o gwmpas ei wddf.

'Gwell i ni fynd 'nôl i Abermorlais. Bydd tafodau
cymdogion dy fam yn gweithio'n galed nes mla'n heddi'.'

Abermorlais. Dyna ble y ffurfiwyd ei gymeriad. Ei ad-
waith. Ei bersonoliaeth. Ei ragfarnau. Ei wrthryfela. Ei
Gymreictod. Dyna'r lle y ceisiodd, trwy drybini'i lencyn-
dod, golli ei wyryfdod. Methiant llwyr. Do, llwyddodd i
deimlo dwsin a mwy o fronnau. Rhai groen wrth groen.
Y mwyafrif llethol trwy fra, blows a siwmper dew,
wlanog. Pan oeddwn ieuanc, mi a . . . Pan oeddwn
ieuanc, hoffwn fod wedi . . . Pan oeddwn ieuanc . . . Na,
a'i dad yn athro ysgol lleol, doedd merched y pentre
ddim yn gydweithredol iawn. Rhaid fu ehangu ei orwel-
ion. I gael ei bleser. Dyna pam, falle, iddo briodi
Saesnes. Ond dyw priodas gymysg ddim yn gweithio.
Wir? Beth ddiawl rwy'n 'neud ag Americanes, 'te?

Wrth ddringo'r tyle'n ôl i lle'r oedd ei char wedi ei bar-
cio, dilynodd Tom fochau lluniaidd, llesmeiriol ei thin.
Gwenodd ar ei lwc ar ddechrau'r pythefnos cyntaf o
wyliau ers ei ysgariad . . .

* * *

Tylino'i chorff oedd dymuniad Anna 'nôl yn Abermor-
lais. Tyle cyfforddus i orwedd arno oedd angen mwya'r
ddau ar ôl yr antur ar Benrhyn Gŵyr. Car awtomatig
oedd car huriog Anna. Llaw rydd ganddi, felly, i dylino'i
gala ar y daith heibio i Ben-clawdd a Thre-gŵyr cyn

ymuno â'r drafffordd am filltiroedd ola'r daith. Yn gyfnewid am ei bleser, symudodd Anna ei law dde rhwng ei choesau i'w 'chadw'n hapus'.

Wrth iddynt droi i mewn i Heol yr Afon, torrodd y wawr yn llachar i'w hwynebu a bu'r ddau'n annog ei gilydd i gadw'n dawel wrth anelu'n gofleidiol at ddrws ffrynt y tŷ.

'Edrych arna i,' meddai Anna wrth droi o flaen y drych yn yr ystafell wely. 'Bydde rhywun yn meddwl ein bod wedi bod yn ymladd ac nid wedi ymlâdd. Paid gofidio, serch hynny. Mae gen i hufen i ti'i rwbio ar y briwiau.'

Am bum munud, bu Tom yn eistedd ar din Anna'n tylino'i chorff yn dyner â'r hufen.

'Mmmm . . . Rwyt ti'n 'neud gorchwyl dda o 'nhroi i 'mla'n eto. Gad i fi eistedd arnat ti.'

Symudodd Tom i'r naill ochr i adael iddi godi ar ei phen-gliniau. Heb yr un gair ganddi, ystwythodd hi ei gorff nes oedd yn gorwedd ar ei gefn. Plygodd hithe'n ei thro ar ei phen-glin wrth ei glun dde a gafael yn gadarn ond eto'n dyner yn ei gala a'i gerrig. Amheuodd Tom y gallai galedu unwaith yn rhagor cyn oriau hir o orffwys. Medrusrwydd dwylo Anna oedd y rhyfeddod nesaf i'w daro, fodd bynnag, wrth iddi dynnu adwaith annisgwyl o gyhyrog o'i wialen. Gwyddai hon yn union sut i'w ddenu â'i dwylo. Bron at y brig. Yna gwasgu ei gerrig i leihau'r pleser a gohirio'r uchafbwynt. Gwyrodd ei phen a theimlodd Tom ei gwefusau meddal a'i thafod yn troelli ar hyd a lled ei gala. Ceisiodd godi'i ben i weld ei godiad cadarn. Wrth fwynhau'r fath bleser, fodd bynnag, doedd ganddo mo'r nerth i godi'i ben oddi ar y gobennydd. Synhwyrodd ei gwallt tonnog yn goglais y croen a'r blew o gwmpas ei fogel. A'i ddwyster yn tyfu'n angerddol, trodd hithe'i chorff wyneb i waered wrtho. Daeth y twmpath trionglog, blewddu fel cysgod dros ei geg. Gwyddai'r hyn a ddisgwylid. Agorodd ei wefusau i gusanu'r graith lafoeriog. Daeth y botwm bychan yn gadarn fel cala bitw rhwng ei ddannedd. Llwyddodd i'w ddal unwaith neu ddwy wrth iddi symud yn fydraidd dros ei gorff. Cyn hir anadlodd hi'n ordrwm wrth nesáu at ei huchafbwynt. Wrth afael yn ei morddwydydd, collodd Tom ei hunan unwaith eto mewn nudden feddwol, nwydus.

Aeth y corff ysgafn, llyfn oddi arno'n sydyn. Daliodd hi ei gafael yn ei gala a'i hanelu at ei chafn gwlyb. Doedd 'na ddim byd carfaglog yn symudiadau Anna. Boddwyd ei godiad unwaith eto ym môr ei gwefusau isol toddadwy. Agorodd Tom ei lygaid i'w gweld yn marchogaeth yn gyhyrog ar ei gorff. Fel petai ar gefn ceffyl. Cuddiai y gwallt ei gwedd ond oddi wrth y sŵn yn ynganu'n hanner tawel o'i gwddf a hefyd o'r dyfnder rhwng ei choesau, gwyddai Tom mai pleser oedd yn achosi'r griddfan.

Ataliodd y marchogaeth yn ddirybudd heb arafu a gwasgwyd gwaelod ei gala. Dechreuodd ei chyhyrau symud o gwmpas ei godiad a'i odro mewn modd nas teimlodd erioed o'r blaen. Wrth anelu'n syth unwaith eto at ei uchafbwynt, ymddangosodd yr ysbrydion hunllefus i'w aflonyddu am eiliad neu ddwy. Cyn i'r hunllef gydio'n gadarn ynddo, fodd bynnag, syrthiodd Anna'n ddiymadferth ar draws ei gorff ag un ochenaid orgasmaidd a'i hyrddiodd yntau hefyd dros y clogwyn. Cynhyrfwyd ei lwynau i blycio'i gala i'r naill ochr a'r llall a'i orfodi i daflu cyn lleied a oedd ganddo ar ôl i'w lleithder ardderchog. Wrth iddi ailafael yn ei synhwyrau, bwyllterodd ei chedor arno a sibrwd: 'Paid â dweud dim. Rwy i am gysgu fel hyn.' Am ryw reswm, chollodd e ddim o'i galedwch. Syrthiodd y ddau i gwsg y cyfiawn a'u meddyliau'n rhydd o broblemau dyddiol eu bywydau cyffredin, diaddurn . . .

Pennod 4

Roedd y cyffro rhywiol ym mhob agwedd o'i gyswllt a'i berthynas ag Anna yn ddiamau yn fwy angerddol nag unrhyw gyffro a deimlodd Tom cynt. Doedd yr un o'r ddau ddim ym mlodau eu hieuenctid. Gwyddai ddoe, am ryw reswm neu'i gilydd, fod Anna'n gweld eu perthynas fel rhywbeth diflanedig, dros dro. Nawr, ar y daith fer i gastell Carreg Cennen, cafodd gadarnhad o'i safbwynt hithe.

'Rwy'n gobeithio na fydd yr un ohonom yn drist a siomedig pan ddaw'r amser i 'madael â'n gilydd. Dair wythnos i nawr, fe fydda i'n ôl ym Massachusetts yn paratoi i fynd 'nôl i'r gwaith. Gofidiau a thrafferthion plant o hyd yn y cefndir. Atgofion hapus o'm hymweliad cyntaf â Chymru. Teimladau dwys aruthrol am dy gwmni di a'th gnychu di ond . . . Na, gad i mi orffen. Ond dwy i ddim wedi syrthio mewn cariad â thi, yn wir alla i ddim. Fel rwyt ti'n gwbod, rwyf ar fy mhen fy hunan ers rhyw wyth mlynedd. Ar y dechrau, roeddwn yn meddwl yn siŵr, yn *bendant* y cawn gwrdd â rhywun yn fuan. Syrthio mewn cariad. Priodi a byw yn hapus am byth bythoedd. AMEN. Yn anffodus, neu efalle'n ffodus, dyw pethau ddim yn digwydd fel 'na. Dwy i ddim wedi syrthio mewn cariad ac rwy'n sicr na wna i byth briodi eto. Mae rhyddid yn rhy bwysig o lawer i mi nawr. Allet ti 'nychmygu i'n ymddwyn fel hyn mewn perthynas gyfyngedig?'

Gwasgodd hi ei gala dalsyth a'i thynnu o'r gwraidd yn galed-dyner i gyfeiriad yr olwyn. Llwyddodd Tom i ddal i anelu'r car ar hyd yr heol gul o Rydaman i gyfeiriad pentre Trap. Gwrthododd Anna adael iddo'i guddio'i hun yn ei siorts wrth iddo yrru trwy Rydaman bum munud ynghynt.

'Rwyf am dy deimlo a'th weld. Os bydd angen, yng nghanol y ddinas *(sic)*; fe wna i'n siŵr na fydd neb yn gallu gweld.'

Nawr, defnyddiodd ei gafael ar ei godiad i bwysleisio, i gwestiynu neu i ryfeddu Tom wrth iddo yrru'r car. Anna'n ei yrru'n wallgof â'i thynerwch digywilydd. Roedd y ddau wedi gwisgo ar gyfer diwrnod poeth o haf i Anna gael ei chyflwyniad i'r Gymru Gymraeg. Siorts oedd y drefn ar ddiwrnod heulog, digwmwl. Gorgwta fyddai'r disgrifiad teca o rai Tom. Gwylaidd oedd rhai Anna. Bron at ei phen-gliniau. Canmolodd Mrs Richards hi wrth eu bwrdd brecwast deg o'r gloch ar ei dewis ffasiynol.

'Sylwi beth mae pobl draw yng Nghymru'n ei wisgo wnes i. Mi ges i'r rhain yn un o siopau Caerdydd echdoe.'

'Ma' nhw'n neis iawn, Anna. Neis iawn. 'N well na'r tipyn pethe bach tynn ma' Tom yn 'u gwishgo.'

Erbyn hyn, cytunodd Tom â'i fam. Wrth ddod at Dŷ-croes o'r draffordd, cafodd Anna drafferth i ryddhau ei gala o'i chaethiwed.

'Rwyf am weld fy ffrind newydd,' oedd ei hesgus. Ni chwynodd Tom o gwbl. Dioddefodd y daith drwy ganol Rhydaman. Gweddïodd na fyddai raid aros wrth y goleuadau ar y sgwâr. Nawr, wrth ddisgyn i lawr i bentre Trap, griddfanodd Tom wrth iddi drafod ei flaengroen â'i bysedd tyner. Wrth iddynt gyrraedd y pentre, gwyrodd Anna ei phen i'w arffed i lyo'r cwgn cochlas. Sefydlodd fydr cadarn yn ymyl ei brepiws. Heb wybod sut, llwyddodd Tom i yrru i faes parcio'r castell. Ymbiliodd ar Anna i edrych ar yr olygfa ond gwell oedd ganddi 'gael ail frecwast'. Llywiodd Tom y car i gornel gymharol dawel o'r maes parcio ac atal y peiriant. Daliodd Anna'n ddygn wrth ei bwyta er mawr bleser i Tom. Edrychodd Tom i fyny'r llechwedd at yr hen gaer fawreddog ar gopa'r bryn. Ildiodd yn llesmeiriol i'r pleser a'r wefr. Sut y llwyddodd i gadw'i godiad, doedd e ddim yn gwybod.

Bum munud ar ôl cyrraedd y maes parcio, gwyddai Tom na fyddai'n cyrraedd copa orgasmaidd am y tro. Wedi chwythu'i blwc dros nos. Diffoddwyd ei gannwyll. Rhodd Anna'r gore iddi a'i ollwng yn rhydd o'r angerdd tafodol.

'Rwyt ti wedi blino, on'd wyt ti, 'nghariad i? Dwy i ddim yn rhyfeddu at hynny. Ow! Dyma'r castell roedd dy fam yn gwneud cymaint o ffws amdano? Mae e'n ardderchog, on'd yw e?'

'Ydi, mae e. A ma' arna i ofon taw 'na'r unig godiad weli di am rai orie mwyach.'

'Alla' i ddim cwyno. Rydym wedi cael perfformiad go gadarn o galed gan d'hen Wili Cala di. Mae e eisiau rhywfaint o orffwys nawr.'

'Odi. Ond aros di tan heno!'

'Addewidion. Addewidion. Gawn weld elli di'u cadw. Dere. Dere i ddangos dy gastell i mi.'

* * *

'Ma' 'na ryfeddode'n y castell 'ma, ti'n gwbod. Ers i Wendy a finne 'sgaru, rwy i wedi bod 'ma ugeinie o weithie. Pan fod pethe'n ormod i fi, rwy i naill ai'n dod lan fan hyn ne'n mynd i'r sarn lle buon ni'r bore 'ma ar Benrhyn Gŵyr. Hyd yn oed yng nghanol nos. Lleoedd peryglus, wrth gwrs. Fe allwn i orffen popeth ag un naid dros glogwyn. Ond ma' dod fan hyn yn rhoi rhyw deimlad o oes wahanol i mi. Ma' hi fel 'sa'r castell yn gweud: 'Edrych arna i. Rwy i 'di bod 'ma am ganrifo'dd. Rwy'n dal i fod 'ma er i bobol f'esgeuluso ers oesoedd. Pwy wyt ti, Tom Richards, i benderfynu'i bod hi'n amser i'th fywyd orffen? Ma' 'na ryw nerth mwy na thi. Gad iddo fe orffen dy fywyd yn ei lawn bryd. Nid dy ddewis di yw e.' Ac wedyn, o wbod nad yw'r baich i benderfynu hyd fy mywyd ddim ar f'ysgwydde bellach, rwy'n twmlo'n well. Rwy'n fodlon ishte ar y clogwyn wrth y castell ne' ym Mhen-y-Fantach a neb ond y sêr ac ambell ddafad yn gwmni. Hyd yn o'd yn y glaw. Gan amla'n yr haf, rwy'n aros tan i'r wawr dorri. Ma' hynny'n adnewyddu f'awch i fyw. Cyn hir, ma'r batri wedi'i adnewyddu. Rwy'n barod i wynebu diwrnod ne' ddau arall.'

'Ew! Ar ôl y bregeth 'na, ma'n rhaid gweld y castell yn iawn. Dere!'

Adfail o furddun yw castell Carreg Cennen i'r cannoedd o ymwelwyr blynyddol. Lle'n llawn o hud a lledrith oedd e i Tom. Er iddo ddod â'r plant yma droeon er pan oeddent yn ifanc iawn, anwybyddai hanes y lle bellach. Byw'n y presennol. Lle i ddod iddo nawr. Gormod o Gymry'n eu colli'u hunain yn y gorffennol. Tri chwarter llenyddiaeth Gymraeg yn ymwneud â'r dyddiau a fu. Nawr. Ag Americanes brydferth. Y presennol. Y bersonoliaeth. Y presennol. Nid castell cerdyn post. Y presennol. Nid caer Normanaidd. Y presennol. Nid castell un o dywysogion Cymru gynt. Y presennol. Anna. Y presennol. Tom. Y presennol.

Rhaid oedd prynu llyfr *cadw* a llogi lamp i oleuo'r ffordd i'r ogof. Heb y llyfryn, sylweddolodd Tom na fuasai'n gwybod dim am y castell. Yn wahanol i Gaerdydd ddoe. Doedd ganddo fawr o ddiddordeb yn y llyfryn wrth ei ddarllen gydag Anna. Oedd, roedd ganddo ryw ychydig o ddiddordeb i wybod ble'r oedd yng ngwahanol gorneli'r adfail. Ond doedd ganddo ond dau wir ddiddordeb yn y lle ardderchog hwn. Y codiad talsyth o'r dyffryn yn edrych dros y clogwyn. A'r ogof. *Yr ogof*. Mae 'na ogofeydd enwocach o lawer ledled Cymru. *Yr* ogof. Hon yw *Yr ogof*.

Ychydig fisoedd wedi iddo adael Wendy ac ar ym-

weliad â'i fam, daeth Tom i Garreg Cennen i hamddena
ar ddiwrnod llaith o Wanwyn. Aeth i'r ogof toc wedi un-
ar-ddeg y bore. Diffoddodd ei lamp. Safodd yn stond yng
ngwaelod yr ogof am awr. Dwyawr, efalle? Pâr o Saeson
canol oed yn dod i lawr rywbryd. Symudodd Tom i'r
naill ochr iddynt. Wrth i'w golau ddiflannu'n ôl i gyfeir-
iad yr agoriad, aeth Tom 'nôl i sefyll ar ganol y llawr. Â'i
lygaid ar agor. Yn gweld dim. Tywyllwch. Fel ei ddyf-
odol. Tywyllwch. Heb oleuni ym mhen draw'r twnnel.
Tywyllwch. Parti o ddwsin o blant ysgol i dorri ar ei
draws. Yna . . . Tywyllwch. A mwy o dywyllwch. Dim
ffordd allan! Dim ond tywyllwch! . . . Tywyllwch . . .

'Ma'r bygyr 'di cachu'n 'i drwser 'fyd. Odyn ni'n hôl y
cops ne' dim ond y cwac? Walle'i fod e 'di rideg bant o
ryw nytws!'

Goleuni. Breichiau cyhyrog yn ei helpu allan i'r awyr
las . . . I'r goleuni.

'Fyddwch chi'n iawn 'da ni nawr. Gewch chi weld.'

Gweld? Tywyllwch? Gweld? Goleuni? Gweld? Gweld
beth? Y dyfodol? Dim ond *Tywyllwch*. Diffeithwch.
Unigrwydd. Anniddigrwydd. Diflastod. Tlodi. Colled.
Henoed. Marwolaeth.

'Mr Richards? Tom? Chi'n iawn?' Y wraig yn y caffi
wrth y ffermdy'n gofalu amdano. 'Gewch chi fàth nawr a
benthyg siwt loncio 'da'r gŵr . . . Mae e'n 'itha diniwed,
bois. Byw yn Llunden yn rhywle. 'Di 'sgaru. Dod 'nôl i
weld 'i fam sha 'Bermorles . . . Sori, ond fyddech chi'n
fodlon mynd â fe i'r tŷ bach yn y cefen? Tynnwch 'i ddill-
ad e bant a dodwch e'n y bàth. Ddim rhy dwym . . . A
pheidiwch gadael e mas o'ch golwg chi. Rhag ofon. Sai'n
siŵr os o's isie bod mor ofalus ond well whare'n sâff.'
Lleisiau eraill yn sibrwd. Y hi oedd â'r gofal. Am bwy?
Amdana i? Na. Dwy i ddim yn blentyn. Dwy i ddim yn
hen chwaith. Dwy i ddim wedi cael damwain. Pwy,
'te? . . . Y fi? . . . Ie . . . Fi! O ffyc! Beth sy 'di digwydd? Yr
arogl! Y gwynt! Y drewdod! Ffycin 'el! Parchusrwydd

mas o'r ffenest. Parchus, myn uffarn i! Esbonia hyn i Mam! A'r plant! . . .

'Ti'n iawn? . . . Mr Richards? . . . Tom, on'd tefe?'

'Gryndwch, ma'n rhaid ymddi . . . '

'Ymddiheuro? Dim shwd air yn bod 'achan. Wyt ti'n iawn? 'Na'r peth pwysig.'

'Odw. Diolch i chi.'

'Diolch? Dim shwd air yn bod, w. Grynda. Os byddi di'n iawn, o's isie galw doctor? Ti 'di bod 'ma mor amal . . . Ti'n gwbod? Cyhoeddusrwydd?'

'O, na. Wrth gwrs. Dim cyhoeddusrwydd.'

A dyna fu. Dim cyhoeddusrwydd. Dim hyd yn oed blismon neu feddyg. Dim dryswch. 'Nôl drennydd â'r siwt loncio. Ei chyfnewid am ei ddillad. Wedi'u golchi. Meddwl ar chwâl. Rhywbeth i'w anghofio. Croeso'n ôl. Rywbryd. A'r ogof? Rywbryd, w. Yr ogof. *Yr ogof*.

'Chi'n siŵr 'ch bod chi isie mynd lawr 'na? Os na fyddwch chi mas miwn cwarter awr, fe ddaw un ohonon ni lawr i'ch nôl chi. Iawn? . . . '

Heddiw, yng nghwmni Americanes. Croeso'r ffermdy. Mwy o groeso'n yr hen gastell. Yr hen furddun. Yr olygfa. Yn yr heulwen boeth. Y dyfalu am fywyd poenus a chythryblus yr hen ddeiliaid. Ei feddwl yn yr ogof. Man dihafal. Y carchar. Carchar Tom. Carchar? Mwy o ryddid na phriodas. Dim cyffion. Rhyddid. I beth? Gwendid dynol . . .

'Ti'n gwbod, Tom? . . . Mae'n anodd credu mai gwaith dynion yn yr hen gastell 'ma oedd amddiffyn pobl. Yn arbennig, amddiffyn y merched. Doedd 'na ddim annibyniaeth i fenywod pan oedd Carreg Cennen yn ei anterth.'

'Rwyt ti'n iawn. Wrth gwrs, Anna. Erbyn hyn, menywod sy'n penderfynu pethe. Ŷch chi'n sefydlu'ch anghenion ac yna'n dishgwl i bawb blygu i'w bodloni. O'wn i'n rhan o gynllun bywyd Wendy. Y hi ddewisodd fi. I'w harlwyo â phlant a chartref. Ofynnodd hi ddim erio'd i fi beth ow'n i'i isie. Rhyw declyn o'n i. Iddi hi'i ddefnyddio. Dwy i ddim yn credu fod 'na orthrymu menywod. Dynion sy'n ca'l 'u gorthrymu. Ac rwy'n falch 'mod i ma's o briodas. Ma' cwrdd â ti 'di cadarnhau nad wy' i ddim isie ailbriodi. Ma' ll'wer mwy i fywyd na phriodas . . . Na, 'nhro inne yw hi 'nawr. Gad i fi orffen. Rwy i 'di bod ar fy mhen fy hunan dros ddwy flynedd. Prin gwarter cymint â ti. Ac, fel ti, o'wn i'n siŵr y dôi'r person iawn heibio cyn hir. Ond rwy'n ame bellach os o's y fath beth yn bod â'r person iawn. Rwyt ti 'di f'helpu i sylweddoli 'ny. Ro'dd dy bregeth ar y ffordd lan i'r mynydd 'ma'n gadarnhad o'r hyn o'n i'n 'i dwmlo cynt.'

'Wel, 'na'i dweud hi, yntê? Rwy'n falch dy fod ti'n cydweld â fi. Bydd croeso i ti ddod i 'ngweld i yn Boston nawr 'te. A dim perygl y bydd un ohonom yn ceisio cymryd y llall drosodd. A chyfyngu. Nid cyfyngu i un partner rhywiol rwy'n feddwl. Ti'n gwbod? Mae'n rhyfedd fod bobl yn siarad cymaint am anffyddlondeb rhywiol. Mae 'na anffyddlondeb arall sy'n llawer mwy pwysig i'm tyb i. Ar ôl i mi gael fy mhlant, roedd hi'n fwy pwysig i Pierre allu mynd gyda'i ffrindiau i ryw far yn y ddinas nag i ddod i'm gweld innau. I ddathlu fy ngwaith innau. Traddodiad, meddai. Prynu sigârs a brandi i'w gymdeithion. A fi'n bygard! Nacyrd! A'r nyrsys yn ddim help o gwbl. Rhai ohonyn nhw ddim hyd yn oed yn gwbod y teimlad o gael cala caled wedi'i gwthio i mewn i'w cont. Heb sôn am gael corff bach a phen mawr yn cael ei dynnu allan rhwng eu coesau. Beth bynnag, fe gei ddod i Boston i'm gweld. Ond nawr am yr ogof. Gwell iddi fod yn werth ei gweld ar ôl clywed d'argoelion di!'

Fel pob Americanwr neu Americanes werth chweil, roedd ganddi gamera. Ond . . . camera bach. Nid un mawr. Tebyg i'r un y disgwylid i Americanes ei gario. Falle bod y Siapaneaid wedi cadw'r camerâu mawrion i gyd iddynt eu hunain? Cofiodd Tom am un ymweliad â Stratford-upon-Avon. Teulu o Siapan. Ar y palmant. Yn

cerdded tuag ato. Y tad a'r fam. A thri phlentyn. Â'u
camerâu. Dau gamera yr un. Hyd yn oed y lleia. Pump
oed ar y mwya. Yn gwrthod symud i'r naill ochr ar y
palmant yn Sheep Street. Cofiodd feddwl efalle fod y
teulu'u hunain yn fodlon symud i'r naill ochr. Y
camerâu'n gwrthod gadael iddynt wneud hynny. Y
camerâu'n cymryd y byd drosodd?

Mynnodd Anna dynnu lluniau ohono. Er bod rhai
ymwelwyr yn y castell (a hithau'n tynnu at hanner
dydd), penderfynodd Tom chwarae'r clown. Ar y ffordd i
lawr y grisiau i'r ogof, gwnaeth ystum arni. Er ei fod o
leia ddeg pwys ar hugain dros ei bwysau delfrydol,
gwnaeth ystum rhywiol arni. Ystum rhywiol? Rhyw
ystum rhywiol dychanol a bod yn onest. Ar y cynta, ceis-
iodd ddal ei stumog i mewn. Ond, gan nad oedd fawr o
gyhyrau o gwmpas ei lengig y dyddie 'ma, rhoes y gore
iddi. A bod yn naturiol. Â'i fol yn hongian dros ei
wregys.

Pam ddiawl fod Anna'n ei ffansïo? Ac am dynnu
lluniau ohono? I fynd â nhw'n ôl adre? I chwerthin am
ei ben? Gyda'i ffrindie? . . . Chi'n gweld y twlpyn tew 'na?
Gnyches i e am dair wthnos o lety am ddim! Roedd y
diawl mor ddwl. Ddim yn sylweddoli mai fi oedd yn ei
ddefnyddio fe. Arbed cost gwesty. Dyna'r unig bwrpas.
Yn ddigon hawdd diodde'i sgwrs annifyr am dair
wthnos. A throi'r meddwl at bynciau eraill wrth iddo
'nghnychu fi. A dim ond cala fach oedd ganddo! 'Tase
chi'n ei gweld! Chwerthinllyd! Cymru'n wlad fach. A'r
boi 'ma â'i gala fach! Prin roedd hi'n gala! Dim hanner
cystal â'r hyn rŷm ni'n gyfarwydd â nhw!'

Na! Na! Na! Doedd Anna byth yn meddwl fel hyn'na
am Tom! Roedd yn falch o'i gwmni. Ei feddwl. Ei
syniadau. Ei athroniaeth. Ei gorff. Ei gala. Ei gnychu. Ei
wely? Na, nid cael llety rhad oedd ei phwrpas. Beth yw'r
ots?

'Ceisia edrych fel arwr yn dod i'm harbed rhag rhyw

drychineb arswydus yn yr ogof . . . 'Na fe. Iawn. Yr unig beth sydd eisiau arnat yw cleddyf a helmed. Caiff fy ffrindiau sbort o weld hwn'na.' Oedd, roedd Tom yn iawn. Chwerthin am ei ben. Dyna'i hunig bwrpas.

'Aros lle'r wyt ti, Tom. Gad i mi ddod yn nes. I gael llun gwell o dy wyneb di. Cofrodd ohonot ti. Na, paid â thynnu'r sbecs i ffwrdd. Os wyt ti'n eu gwisgo o hyd, ddylet ti ddim. Prin 'mod i wedi'th weld heb-ddynt . . . 'Na fe . . . Gwên fach . . . 'Na ni. Iawn.'

'Rwy'n twmlo fel ffŵl fan hyn, ti'n gwbod. Diolch byth nad o's neb wedi mynd heibio tra ow'n i fan'na.'

'Gwranda, Tom. Ti'n rhoi'r argraff trwy'r amser dy fod yn ymddiheuro am fod ar y ddaear. Mwynha dy hunan. Paid â gadael i'r byd bwyso ar d'ysgwyddau. Byw dy fyw-yd dy hunan. Mae'r gorffennol wedi mynd. Am byth. Ddaw e byth 'nôl. Dere . . . Yr hen ogof 'ma, o'r diwedd. Gwell iti gynnau'r lamp.'

Wrth ei harwain i lawr i'r tywyllwch llaith, teimlodd Tom fel petai'n dod adref. I groth. I fan diogel. Allan o olwg y byd a'r betws. I'r man lle bu mor ffôl bymtheng mis yn ôl. Ond heddiw gyda chwmni delfrydol. Llithrai eu traed hwnt ac yma ar y grisiau. A'r lamp yn chwifio o'u cwmpas yn llaw Tom, tafluniwyd sioe o'u delweddau ar y llawr, ar y muriau ac ar y nenfwd. Llewyrchodd eu llusern ffurfiau direidus o'u cwmpas. I roi'r argraff fod ganddynt ffurfiau di-rif yn gwmni ar eu hynt. Ond nid pobl iawn. Dychmygol. Ansylweddol. Anwireddus. Teim-lai Tom yn aml nad oedd y fath beth yn bod â gwirionedd. Dim ond y ffordd y mae gwahanol bobl yn gweld pethau. Efalle'u bod yr un fath i Anna. Ac efallai nad oeddent. Gwell ganddo gadw'i ffrindiau dychmygol iddo'i hun. Rhag ofn fod Anna'n gweld rhywbeth hollol wahanol yn y cysgodion. Rhaid cadw rhai cyfrinachau'n bersonol. Ei brofiad ef oedd ei gysgodion. Y tro nesaf (ac fe fyddai 'na *droeon* eto) ceisiai weld delweddau gwa-hanol. Pleser oedd cael eu cwmni heddiw. Ei ofidiau e'i hun yn unig. Yn ei ogof, Ei ogof *E*!

O'r diwedd, ar ôl hanner cerdded, hanner sglefrio ar y cerrig llithrig, cyrhaeddodd Anna, Tom a'i ffrindiau (a beth bynnag arall oedd gan Anna'n gwmni) waelod yr ogof.

'Diffodda'r llusern, Tom . . . Aros wrth f'ochr yn y tywyllwch . . . Rŷn ni'n lwcus nad o's neb arall lawr 'ma . . . Gwranda ar y tawelwch.'

Clustfeiniodd Tom yn ufudd.

Teimlodd Anna'n symud yn y tywyllwch.

Ei dywyllwch. Yn ei ogof. Gafaelwyd yn ei ddwylo. Codwyd hwynt i fyny. Gwthiwyd ei grys-T i fyny at ei geseiliau. Cribodd dwylo tyner trwy'r blew ar ei frest. Un o'r arwyddion ei fod yn nesu at ganol oed oedd fod y blew ar ei gorff yn llwydo'n raddol. Yn y tywyllwch, dibwys oedd lliw. Popeth yn ddu. Fel y fagddu. Ond clywodd ddillad yn siffrwd.

'Paid ti â meiddio symud, cofia.'

Yna, croen wrth flew a chroen ei frest.

'Gad dy ddwylo yn yr awyr.'

Dwy deth yn caledu ar flaen dwyfron gadarn.

'Gallaf deimlo dy galon yn curo.'

Dwy law yn cydio yn ei ddwy law uchod.

'Teimla fy nghorff heb dy ddwylo.'

Ei thethau'n cylchdeithio ar ei frest.

'Mae dy flew yn caledu 'nhethi fi.'

Ei thraed yn cael eu gosod ar y naill ochr a'r llall i'w draed yntau.

'Paid â gofidio. Fydd dim rhaid i ti berfformio yma.'

Ei llwynau'n tylino'i lwynau.

'Symuda dy lwynau'n groes i'm rhai i.'

Gwthiodd 'nôl ati wrth iddi hithau wthio tuag ato'n ei thro.

'Rhyw heb gnychu. Bron yn well na chnychu.'

Cyfwerth â chnychu, bid siŵr.

'Onid yw'r tawelwch yn dawel?'

Chlywai Tom ddim byd.
'Onid yw'r unigrwydd yn unig?'
Ni theimlai Tom yn unig.
'Onid yw'r lleithder yn llaith?'
Oedd, roedd llygad ei gala'n llaith.
'Onid yw croen yn hyfryd?'
Teimlodd Tom ei groen gŵydd.
'Onid yw hyn yn codi chwant?'
Teimlodd Tom ei drachwant.
'Rhaid aros yma tan i rywun ddod lawr.'
Teimlodd Tom ias oer.
Tawelwch.
Tywyllwch.
Lleithder.
Mwy o dawelwch.
Mwy fyth o dywyllwch.
A'r lleithder.
Eiliadau?
Munudau?
Dim gofid.
Dim noethni.
Dim cnychu.
Ond teimlo.
Corff.
Croen.
Bronnau.
Llwynau.
Bogel.
Gwefusau.
Anadl.
Ffroenau.
Dim angen llygaid.
Pum synnwyr?
Un yn llai.
Dim byd i'w weld.
Dyn dall yn caru.

Tom â'i sbectol ar ei drwyn.

Heb weld dim.

Dim ond teimlo.

A chlywed.

Ac arogli.

Ac yn anadlu.

Yn dyheu am ryddhad.

Ond eto am gynyddu'r pleser.

I'r ddau ohonynt.

'Tom, wyt ti'n gwybod fod cyffwrdd fel hyn yn therapi rhyw i lawer o bobl?'

Yn y tywyllwch.

'Cyffwrdd yn synhwyrus. Ac eto, ddim yn treiddio.'

Yn y tawelwch.

'Heb ddadwisgo'n llwyr.'

Heb gyffwrdd ei lleithder.

Pennod 5

'Dyw gwlith ddim yn syrthio nac yn codi, Tom. Mae e'n ffurfio. Roedd dy dad byth a beunydd yn arfer dweud hynny wrtho' i'r dyddie d'wetha.'

Gwyddai Tom yn well na dadlau gyda'i fam yng nghwmni Anna. Roedd y tri ohonynt yn eistedd ar gadeiriau plastig yng ngardd daclus Mrs Richards 'nôl yn Abermorlais. Cadeiriau plastig gwyn a bwrdd crwn gwyn o blastig. Anaml iawn y gwelsai Tom ei fam yn eistedd allan yma cyn heno. Pan fu yn Abermorlais gyda Wendy a'r plant, arferai ei fam ruthro o gwmpas y lle'n arlwyo ar eu cyfer. Bwyd. Diod. Mwy o fwyd. Selsig. Menyn. Cig. A Wendy a'r merched yn ceisio bod yn llysieuwyr ers blynyddoedd. Sut ar y ddaear y llwyddodd Wendy i ddatblygu tin Calipygiaidd ar lysiau? Efalle mai ar ei mam yng nghyfraith roedd y bai? O leia roedd hi bellach ar ffurf ffrwyth, meddyliodd Tom. *Peren!* Gallai ddal i fod yn gas ati weithie!

Er iddo ofni am ymateb ei fam i Anna, fel at bob merch y daeth â hi i'r tŷ cyn priodi, roedd yr Americanes yn llwyddo i'w phlesio ar bob cyfrif. O astudio iaith corff y ddwy yn hanner goleuni'r machlud, roedd yn amlwg fod y ddwy wedi cymryd at ei gilydd. Heb y brwydro ffyrnig, fel ci a chath, a fu rhwng Wendy a'i fam dros y blynyddoedd.

Weithiau, yn nyddiau cynnar eu priodas, bu Tom yn pendroni ynglŷn â rhesymau dynion dros briodi merched o gwbl. Mae'r atyniad rhywiol yn un cryf, wrth gwrs. Mae dynion yn priodi, fodd bynnag, am eu bod yn colli eu mamau. Dim ond ar ôl ei ysgariad y sylweddolodd Tom hyn. Mewn grŵp therapi i ddynion newydd ysgaru.

Sylweddolodd Tom fod bechgyn yn cael eu magu gan fenywod mewn cyfundrefn sy'n penodi'r gorchwyl o fagu i fenywod. Yn y pen draw, mae'r dynion yn dysgu uniaethu â dynion yn hytrach na chyda menywod. Sut yn y byd y gall dyn lwyddo ar ôl sylweddoli hyn? Os cânt blant, gall menywod wneud hynny, fodd bynnag. Does dim angen iddynt ddatod y cyswllt cyntaf â'u mamau. Maent yn fenywod ac fe ddaliant i fod yn fenywod. A hithau gymaint o ffeminist, fyddai Tom ddim wedi disgwyl i Wendy ei gyflwyno i'r fath athroniaeth. Ond na, y hi oedd yn wan. Nid Tom. A hithe bellach yn pwyso ar Raymond. Mor fuan ar ôl proffwydo na fyddai hi byth yn 'dioddef' perthynas ag unrhyw ddyn byth eto. Dim ond basdad o gyd-ddigwyddiad oedd iddi gwrdd â Raymond eto.

Cwrdd ag Anna. Dyna oedd yn bwysig i Tom heno. Ac, yn ôl ymateb ac ymddygiad ei fam, roedd hithau wrth ei bodd â'i ddewis. Tybed beth fyddai ymateb yr hen wraig (achos dyna beth yw hi bellach, meddyliodd Tom) o weld a chlywed ymddygiad Anna yng nghefn gwlad Cymru yn gynharach y diwrnod hwnnw?

Er i ymennydd Tom brofi oes a mwy o bleser yn ogof Carreg Cennen, daeth rhagor o ymwelwyr ymhen dim i dorri ar draws eu hunigrwydd. Treuliwyd y prynhawn ar lan afon Tywi. Gwyddai Tom am ddarn o borfa lyfn ar lan yr afon â chlympiau eithin i'w gadw'n gyfrinachol. Hanner milltir o'r pentre agosa. Cyn pen dim, torheulo'n noethlymun ar liain sych oedd y drefn. Cyfle i wneud iawn am golli cymaint o gwsg dros nos. Cyfle hefyd i'r ddau ohonynt fyseddu corff y llall. Cyfle i Anna wahodd bysedd Tom i 'ymweld â'r ogof laith yng nghanol fy nghoedwig dywyll'. Cyfle i weld cysgodion y cymylau uchel yn gweu patrymau di-rif ym mhob man, hyd yn oed ar ei chorff. Cyfle i Tom iro'i chefn â hufen. Cyfle i

Anna dynnu llond dwrn o flew o'i frest. Cyfle iddo'i her-lid o gwmpas yr eithin. Cyfle i'r ddau syrthio'n sgrechlyd i rew'r afon. Cyfle i Tom ei hachub rhag ei ffug-foddi. Cyfle iddo ymdrechu i'w chario'n ôl i'r lan fel rhyw arwr canoloesol gynt. Cyfle iddi hithau sylweddoli nad oedd ei gorff bellach ddim yn hanner digon cymwys i gyf-lawni'r fath orchwyl!

Gorffwysodd Tom 'nôl yn ei gadair hanner cyfforddus yn yr ardd yn wyliwr, o'r tu allan, ar y berthynas yn dat-blygu rhwng ei fam ac Anna. Cartrefol nawr, a phob un yn gwisgo sbectol. Anna wedi rhoi'r gore i'r ddyfais fod-ern, y lens, am y tro. Roedd fel petai Tom yn gwrando ar ddwy athrawes fywiog. Y sgwrs yn ymdroi rhwng llenyddiaeth, materion cyfoes, cerddoriaeth, arlunio, crefft a'r celfyddydau'n gyffredinol. Ei fam wrth ei bodd. Yn barod i wrando. Yn awyddus i ddysgu. Anna'n ar-gyhoeddiedig. Ond am glywed barn yr hen wraig. Mor wahanol i Wendy. 'Dim gwybodaeth ddiwylliedig yng nghefn gwlad Cymru.' Rhagoriaeth ffroenuchel Saesnes. Yn ychwanegu atgasedd aruthrol ei fam tuag at ei merch yng nghyfraith.

'Shgilwch arno fe! Bron yn cysgu! Dim ond naw yw 'i, shgwl. Gwell i *ti* fynd i'r gwely, gwboi.'

'Ie, gwranda ar dy fam, Tom. Rŷn ni'n dwy'n cael sgwrs ddifyr 'ma. A dŷn ni ddim 'di cl'wed gair o'th geg di ers awr a mwy.'

Er mor ddygn ei brotest, ildiodd Tom. Blino? Oedd, roedd wedi blino'n llwyr. Roedd yn hapus i adael Anna'n gwmni i'w fam. Efalle y dôi Anna a'i chorff i'w ddeffro a'i ddifyrru mewn modd pleserus ymhen awr neu lai. Oedd, roedd yn fodlon rhannu cwmni'i ffrind newydd am unwaith gyda'i fam.

O fewn pum munud iddo'u gadael yn yr ardd blastig, clywsant chwyrnu fel tarw'n dod drwy ffenest ei stafell wely . . .

. . . Nofiodd Tom trwy'r dŵr claear yng nghwmni

brithyll di-rif. O'i flaen, arnofiai Anna'n noeth ar ei chefn. Amneidiodd yn gnawdol, heb ledneisrwydd, ar Tom i nofio rhwng ei choesau fforchol. Wrth iddo agos-áu at y gofod rhwng ei morddwydydd, tynnwyd ei sylw gan res o ogofeydd i'r naill ochr iddi. Clywodd lais chwerw Wendy'n ei annog i nofio i mewn i un o'r ogof-eydd.

Wrth fynediad rhai o'r ogofeydd, gwelodd filoedd o bysgod marw a'u llygaid yn rhythu arno â gwedd yn llawn o ddirmyg. Llwyddodd i osgoi'r mwyafrif o'r ogof-eydd. Nofiai Wendy a Raymond o gwmpas un myn-ediad, fodd bynnag, a'u breichiau'n pwyntio tua'r ogof. Tu mewn i geg yr ogof, gwelodd ddegau o ferched den-iadol. Rhai yn noeth. Rhai yn hanner noeth. Rhai heb fra. Rhai yn dal eu bronnau â'u dwylo i'w cyflwyno iddo. Rhai heb nicers. Rhai yn dal eu coesau ar agor iddo. (Ogof mewn ogof mewn ogof mewn ogof mewn og . . .)

'Dere 'mla'n, Tom. Ma' un o'r rhain siŵr o fod wrth dy fodd. Edrych arnyn nhw. Ma' nhw'n fwy tene na fi. Does gan yr un ohonyn nhw ddim ffurf peren. Dim tin Calipygiaidd. Dere . . .'

Calipygiaidd? Sut yn y byd y gwyddai Wendy am y gair? Roedd hi wedi darllen yn eang mewn Saesneg. Ond person uniaith oedd hi. A chanddi fawr ddim diddordeb mewn hen hanes tramor. Gwraig dew o amser yr Ym-erodraeth Rufeinig oedd Calipygia. Ni soniodd Tom fyth wrth Wendy am ei gymhariaeth rhyngddi a Chalipygia.

'Bronne'n siglo, edrych. Deunaw modfedd ar hugain. Yn union fel y rhai rwyt ti erio'd wedi bod yn dymuno'u hanwesu. A gwasg fain, gul. Dere, Tom. Am beth wyt ti'n aros? Ma' digon o ddewis i ti fan hyn!'

Delwedd ddelfrydol, fel gan bob gŵr, fu gan Tom o'r ffurf fenywaidd. Pan ddechreuodd corff Wendy fynd yn dew, crwydrodd ei lygaid i bob cyfeiriad. Aeth trwy gyfnod o grwydro rhywiol achlysurol na wyddai ei wraig ddim byd amdano. Nawr, gallai weld wynebau rhai o'r merched y bu'n gloddesta arnynt ymysg y rhai a oedd yn yr ogof. Fel yr ysbrydion yn nramâu mawr Shakespeare, megis *Macbeth* neu *Richard III*.

Roedd fel petai Wendy wedi crynhoi pechodau Tom mewn ballegrwyd a'u gollwng yn rhydd yn yr ogof. Er mwyn iddo gael ymbleseru ynddynt unwaith eto? Nid o gyfnod ei fagloriaeth cyn priodi nac o'r cyfnod er ei ysgariad. Ond o'r cyfnod trist hwnnw pan oedd yn briod â hi. Erbyn hyn, gwrthodai Tom gyfaddef, hyd yn oed iddo ef ei hun, iddo fwynhau'r un eiliad o'i fywyd priodasol. Yng ngwaelodion ei gydwybod, fodd bynnag, treiglai atgofion dwys o hapusrwydd yng nghwmni Wendy, Olwen a Mary. Gwrthodai Tom eu cydnabod bellach.

Nawr gwelai, yn nofio yng ngoleuni llachar yr ogof, wynebau niferus i'w atgoffa o'i grwydro pleserus y tu allan i'w briodas gyfyng gynt . . .

Eirwen, o dras Cymreig. Un o'i gyd-gyfreithwyr. Yn rhannu swyddfa gyda Tom. Trosglwyddwyr tir. Ar ran Bwrdd Datblygu'r Trefi Newydd. Bu'n rhaid iddynt fynd gyda'i gilydd i weld nifer o safleoedd yn ninas newydd Milton Keynes. Yn gynnar yn natblygiad y ddinas. Cyn bod yno fawr o adeiladu. Bron yng nghefn gwlad.

Un diwrnod poeth o haf, penderfynwyd cael picnic o ginio ar lan yr hen gamlas sy'n ymlwybro trwy ganol y ddinas. Erbyn hyn, mae'r gamlas yn brysur a'i glannau'n llawn o adnewyddu masnachol neu o dai ar gyfer y mewnlifiad o Lundain a Birmingham. Ar ddiwedd y saithdegau, digon hawdd oedd iddynt gadw llecyn unig i dorheulo, gloddesta ac i fwyta.

'Dyma beth rwy i'n 'i alw'n waith!' meddai Eirwen wrth dynnu'i blows sidan o liw hufen yn rhydd o'i hysgwyddau. Er ei bod hi'n denau, go blaen oedd ei chorff. Dilynodd y sgert y blows. Y bra wedyn, i ddadorchuddio bronnau bychain, plentynnaidd. Cofiodd Tom iddo sylwi ar yr anghytbwysedd rhwng ei pharodrwydd i dorheulo a'i chroen, a oedd yn wyn fel eira. Ymddangosai fel petai o oes arall. Yn nyfnder hanes. Pan oedd hi'n ffasiynol i gael croen gwyn. Dim ond gweision oedd â breichiau brown. Am eu bod yn treulio cymaint o amser allan yn yr awyr agored. Eirwen a'i gŵr, heb blant, byth a hefyd yn fforddio gwyliau tramor ar draethau heulog broliog. Ond eto, dyma hi, â chroen gwyn. Anogaeth sydyn: 'Dangosa dy gorff 'te! Yn y t'wydd 'ma, ddylet ti ga'l rwfaint o haul!' Fel dafad yng nghanol praidd, gorffennodd ei bicnic yn noeth. 'Beth am chware mig?' Yn lle pwdin? Beth fydde Wendy'n ei feddwl? Dim ond tamaid o chwarae diniwed. Diniwed? Yn reslo ar y borfa o fewn dau funud. Cala galed o fewn eiliadau i'w chyffwrdd. 'O'wn i ddim yn bwriadu'ch cnychu, eich mawrhydi.' Ddwy flynedd ar ôl fasectomi, beth oedd yr ots? Dros chwe mis gwefreiddiol, cnychodd Eirwen ym mhob man a modd y gallai:

Ar ei ddesg. Ar ei desg hithau. O dan y ddwy ddesg. Ar ddesg pennaeth yr adran gyfreithiol. Yn y tŷ bach (merched). Yn y tŷ bach (dynion). Yn y tŷ bach (ar y trên i Lundain). Yn yr awyr iach. Yn ei gar. Yn ei char hithau. Yng nghar Wendy (pan oedd Tom wedi ei fen- thyca am y dydd). Yng nghar gŵr Eirwen (cyfartaledd i ferched). Yng ngwely Eirwen a'i gŵr (pan oedd hwnnw i ffwrdd ar gwrs). 'A beth am dy wely di a Wendy?' O ffyc! Y blydi cymdogion! O'r diwedd, cyfle i ddatgyflogi ei fasectomi. 'Nôl at briodas gefn wrth gefn heb unrhyw ollyngdod . . .

Tair blynedd o ffyddlondeb. Ffyddlondeb? I ba bwrpas? Ei daflu'i hun i'w waith mewn swydd newydd fel therapi rhag diffeithwch o briodas.

Diane, ei ysgrifenyddes. Eisiau diolch iddo am ei lyth- yr o gymeradwyaeth wrth iddi geisio am swydd newydd. Tom, yn ei ddiniweidrwydd, yn meddwl mai gwahoddiad allan i ginio ffarwel fyddai'r diolch. O na! Gwneud pethau mewn steil. Dyna fyddai Diane am ei wneud bob tro. Gwybod y byddai Tom yn gweithio'n hwyr ar ddydd Iau. Er mwyn gallu gorffen yn gynnar ddydd Gwener. Diane, chwe blynedd yn iau na Tom. Yn ddibriod. Ond heb fod yn ddibrofiad.

'Chi'n lico merched wedi gwishgo fel hyn, Mr Richards?' Ei dafod yn hongian dros ei ddannedd. Ei galon ar garlam. Ei gala'n ddigwlwm. 'Sanau rhwyd du hyd at hanner ei morddwydydd. Yn hongian o wregys sidan. Nicers du, trionglog o bitw. A thwll ynddynt. Rhwng ei choesau. Cantilifar o fra du'n gwthio'i bronnau i fyny ac i ganol ei brest. Ei thethau'n sbio, bron yn wincio, yn slei arno dros wychder y defnydd.

'Dwyt ti ddim wedi bod fel hyn trwy'r dydd, Diane?' I'w blesio yntau, hi'n dioddef ers naw awr. Profodd Tom naw munud o bleser yng nghorff Diane. Ni allai ohirio'r anochel. Hoffai fod wedi cael naw cyfle. Ond dim ond naw munud . . .

Dyddiau (a nosweithiau unig) o weithio dygn wedyn ar ôl ymuno â grwp o hen ffrindiau coleg mewn practis preifat. Ei gyflog yn chwyddo'n raddol. A chwyddiant dychrynllyd yn ei oriau gwaith . . .

Er cymaint y casâi'r gwaith, rhyw bwt bach o waith ysgariad yn y practis. Un cleient yn dod i'w gof nawr . . . Ei hwyneb ar un o'r cyrff deniadol, yn yr ogof, yn nofio tuag ato . . .

'Ma 'ngŵr wedi rideg bant 'da menyw wyth mlynedd yn hynach nag e! Pam? Odw i'n hyll? Beth ŷch chi'n meddwl, Mr Richards?' . . . 'Na, falle ddim yn hollol ddelfrydol . . . Ond does dim byd o le ar 'y mronne, 'drychwch.'

Blows arall yn cael ei diosg i ddadorchuddio pâr di-fra. *Déjà vu*, chwedl y Ffrancwr. Corff brown a bronnau'n wregys gwyn fel streipen ar grys rygbi.

'Mr Richards, dwi ddim ond yn ddeuddeg ar hugen o'd. Beth sy o le arna i? Rwy'n gallu coginio. Ro'en ni'n mwynhau cwmni'n gilydd. A ro'wn i'n rhoi chwythad cyson i'w gala. Y pleser mwya'n y byd yn ôl fe.'

Roedd Tom yn hen gyfarwydd â chlywed am fanylion bywyd rhywiol cleientau wrth ddelio â materion ysgariad, ond roedd hon yn rhoi manylion rhy fanwl.

'Beth amdanoch chi, Mr Richards?' O diawl! Ma' hi'n tynnu'i sgert oddi amdani. Diolch byth fod pawb wedi mynd adre. Ma' hi'n gwisgo 'sane 'fyd! Y rhai sy'n aros i fyny heb gymorth gwregys.

'Cnychwch fi, Mr Richards. Ma' fy hunanhyder wedi'i chwalu'n rhacs.' O, na! 'Plîs, Mr Richards. Plîs! 'Sdim pwrpas byw os yw dynion yn fy ngweld yn hyll. Dewch. Plîs!'

Trodd yr ymbilio'n anogaeth ac am awr gyfan profodd Tom bleserau ganddi na wyddai amdanynt. Wrth iddi agosáu at ei uchafbwynt, ynganodd ymadroddion mor anweddus nes i Tom deimlo'i fochau'n gwrido.

'Cnychwch fi! . . . Gwthiwch i mewn yn galed! . . . Gwasgwch 'y mronne . . . O, rwy *yn* mwynhau teimlo'ch cala'n symud i mewn ac allan ohonof! . . . Rŷch chi 'di 'ngneud i *mor* 'lyb!'

Rhyfeddai Tom at y cymysgwch o ffurfioldeb ac agosatrwydd. Wrth iddi wisgo, taflodd wahoddiad i Tom i '. . . ddod am ginio bob dydd Mawrth erbyn hanner dydd . . . ne' fydd 'y mywyd ddim yn werth 'i fyw.'

Nid blacmêl, ond gwahoddiad i rannu agwedd ar fywyd nad oedd yn bod mwyach yn ei briodas. Ofnai Tom y byddai'r berthynas newydd yn torri ei briodas. Siân, fodd bynnag, yn bendant mai dim ond cnychu, nid priodi, oedd ei phwrpas. Bu'r gyfathrach yn ffon rywiol i Tom am dair blynedd o gyplu wythnosol, rheolaidd, mecanyddol, cenhadol, digariad, diemosiwn, digondom, digywilydd. Rai misoedd cyn iddo ymadael â Wendy, cyhoeddodd Siân ei bod wedi syrthio mewn cariad ag athro chwaraeon yn ysgol ei mab deuddeg oed. Yr athro'n wyth mlynedd union yn iau na Siân . . .

Nawr, nofiai Tom heibio i'r hen ddelweddau benywaidd yn dwyn atgofion, ond, yn sydyn, gwagiwyd yr afon o ddŵr. Fel gwagio pwll nofio. Un eiliad roedd Tom yn arnofio. Y nesaf yn syrthio i wagle . . .

Glanio'n sydyn ar fatras meddal . . . Agor ei lygaid i . . . *DYWYLLWCH!* . . .

'Tom! Be sy? Dwi 'ma i edrych ar d'ôl di.' Llais Anna i'w gysuro a chydio'n ei law a'i gala.

'Beth yw hi o'r gloch?'

'Tua thri.'

'Ti newydd ddod i'r gwely? Ti'n o'r.'

'Ydw. Bûm yn siarad gyda dy fam.'

'Tan nawr? Ti 'di siarad mwy 'da hi na 'na'th Wendy m'wn pymtheg mlynedd.'

'Mae hi'n berson diddorol. A chanddi ddiddordebau amryliw.'

'Allet ti fod wedi 'nhwyllo i.'

'Ddylet ti ddim lladd ar dy fam.'

'Ond gweud y gwir 'dw i.'

'Mae hi wedi profi'n wahanol i mi heno. Ond rwy i wedi blino nawr. Os wyt am gnwch, rhaid cael un ar frys gan fy mod ar fin cysgu.'

A dyna fu. Cedor Anna'n ddigon gwlyb. Yn barod i'w dderbyn. Carlam o gnwch. Orgasm go sych. Fawr iawn o ofid am bwy oedd i gysgu ar wlypter y dillad gwely. Fawr iawn o wlypter o gwbl. Ymhen dim, gwrandawai Tom ar Anna'n anadlu'n drwm wrth ei gesail. Daliodd ati i syllu ar dywyllwch y nenfwd yn diflannu. Torrodd y wawr yn rhywle dros Loegr a llusgo goleuni i bob twll a chornel o Gymru. Hyd yn oed i Abermorlais. Tybed a ddôi unrhyw oleuni i wawrio ar fywyd Tom? Am a wyddai, roedd y wawr wedi torri'n barod. I ddyfynnu'r hen ystrydeb, meddyliodd : 'Amser a ddengys. Amser a ddengys . . .'

'Gobeithio y cewch chi amser braf, 'te. Well i fi fynd.'

'Byddwn ni'n iawn iti. Bydd Anna'n gwmni i fi tra bo' ti'n trwytho d'hunan am weddill yr wthnos.;'

'Tom, diolch yn fawr am heddiw. Mae'n amlwg dy fod

wrth dy fodd yma'n yr Eisteddfod. A'r holl hen ffrindiau ti wedi'u cyflwyno i mi. Ac mi fyddi di'n ôl yn Abermorlais nos Iau?'

'Byddaf. Yn ystod y nos rywbryd. Ar ôl y ddrama newydd. Ddyle'r perfformiad orffen sha hanner 'di deg. Wedyn, boutu ddwyawr 'n y car. 'N Abermorles 'byn hanner 'di d'uddeg g'lei.'

'Diolch eto 'te. Gwell i ni fynd, Mair, a gadael i'ch mab fwynhau'r diwyllaint Cymraeg. Petawn i'n siarad Cymraeg, fe fyddwn yn hapus i aros. Ond roedd un diwrnod yn yr Eisteddfod 'ma'n ddigon i mi.'

'Ie, well mynd, sbo. Ti'n siŵr dy fod ti'n iawn?'

'Mam, nid crwt deg o'd odw i, reit. Ryw ddiwrnod, Anna, fe adwiff hi i fi dyfu lan.'

'Ryw ddiwrnod, falle 'nei di dyfu lan.'

'Dewch, Mair. Os gallwn ni fynd tra bod gwên ar wyneb y tri ohonom, gore gyd. Hwyl, Tom. Mmmmmm!'

'Mmmmmm! 'Na'r tro cynta i ti 'nghusanu ers sha pymtheng mlynedd ar hugen a mwy, Tom. Bant â ni!'

'Hwyl i chi, 'te.'

A throi ar ei sawdl i gyfeiriad Theatr y Maes. Gwrthododd droi'n ôl i chwifio'i ffarwél eto. Byddai'r tridiau nesa'n brawf a allai dorri ei berthynas ag Anna o gwbl. Daeth ag Anna a'i fam i'r Eisteddfod am y diwrnod ar yr amod ei fod yn cael aros yno ar ei ben ei hunan am dridiau. Dyna oedd sail ei wythnos o wyliau. Ni welai bwrpas mewn newid y cynllun. Rhoi gorffwys i'w gala. Ac ymestyniad i'r ymennydd. Os oedd y gwaed yn llifo i'w ymennydd, doedd dim gobaith am godiad bellach. Ac os cael codiad, prin y gallai feddwl yn drefnus.

Penderfynodd ei fam ac Anna ddod i'r Eisteddfod am y Llun ac i Anna ddychwelyd i Abermorlais yn gwmni i'r hen wraig. Tom i ddychwelyd am y penwythnos atynt cyn mynd 'nôl i Lundain gydag Anna am weddill ei hymweliad. Am yr wythnos o gwmpas yr Eisteddfod, profodd gymysgwch o hapusrwydd a thristwch, hyder a swildod a haul a glaw. Ond yn bennaf profodd siom. At-gof o'i ddadl fer gydag Olwen ar y maes carafannau. Llenyddiaeth Gymraeg, i raddau helaeth, yn rhy gaeth, ynghlwm wrth hen safonau eisteddfodol, plwyfol, capelaidd, crefyddol a hynafol. Arddull llawer o'r hyn a ddarllenodd ar faes yr Eisteddfod yn gain ond heb gynnwys dim o unrhyw wir bwysigrwydd yn y cyd-des-tun presennol. Gwobrwyon rhyddiaith di-rif yn cael eu hatal. Pwyslais gormodol ar ganu caeth. Yn iawn yn ei le ond mae 'na dipyn o le i ddatblygu rhyddiaith fodern Gymraeg.

Pleser o gyfarfod â hen gyfeillion a thrafod pynciau llosg y dydd. O Loegr? Newydd ddychwelyd? Fel bradwr? Na. Pawb yn llawn croeso. Y Mab Afradlon . . .

'Shw' mae? Ble ti'n byw? . . .'

'Sut wyt ti 'rôl yr holl flynyddoedd 'ma? . . .'

'Duw, mae dy Gymraeg di'n dda! 'Nghofiest ti ddim 'da'r Saeson, naddo? . . .'

'Ti'n edrych yn dda! Gormod o bwysau i'w golli . . .'

'O's 'da ti deulu? . . .'

' 'Sgariad? O! . . .'

'Oes 'na blant? . . .'

'Ydyn nhw'n siarad Cwmra'g? . . . Na? Wel, wela i ti o gwmpas. Hwyl! . . .'

'Sut mae'r teulu wedi cymryd yr ysgariad? . . .'

'Ie, fyddai'n anodd iddyn nhw ddysgu Cymraeg a'u mam yn Saesnes – yn Lloegr . . .'

'Ta waeth, ti'n ôl nawr. Gwna'r gore ohoni . . . Bradwr? Wrth gwrs nad wyt ti. Ti'n Gymro. Ma' digon o gyfle i ti gyfrannu . . .'

'Sut? Sut, myn uffarn i? Ma' 'na ymgyrch newydd yn ca'l ei lansio bron bob wthnos. Ffeindi di rwbeth . . .'

Hyrddio'i hunan i weithgareddau llenyddol y Maes a'r ymylon. Fawr o ddim diddordeb ym mhethau cerddorol, cerdd dant, corawl, offerynnol yr Eisteddfod. Siom arall oedd gweld fod 'na gyfieithiad o ddrama Saesneg,

Americanaidd yn cael ei pherfformio yn Theatr y Maes. Pam ddiawl fod rhai o lenorion mwya'r genedl yn gwastraffu amser yn addasu a chyfieithu o'r iaith fain?

Gall unrhyw Gymro sydd am ddarllen Dick Francis neu Arthur Miller wneud hynny heb wastraffu adnoddau Cymraeg. Tybed a gawn i grant gan y Cyngor Llyfrau i gyfieithu hunangofiant Errol Flynn neu Xaviera Hollander? Ar hyn, cododd y llenni ar ail act y ddrama fawr Americanaidd . . .

Llithrodd Tom yn dawel rhwng y cynfasau i wely cynnes. Dadwisgodd yn y tŷ bach cyn mynd i'r ystafell wely. Roedd hi newydd droi un o'r gloch y bore ac, ar ôl taith droellog trwy'r tywyllwch, gwelai'r llygaid cathod o hyd ar ganol ei ffordd i'w wely ac ar y nenfwd.

Braf oedd teimlo croen meddal Anna a symudodd cledr ei law ar draws ei brest hyd at un o'i thethau. Caledodd honno'n fotymog o dan ei gyffyrddiad. Ochneidiodd Anna a lledu ei chorff yn seren ar y gwely. Daliai i gysgu'n ei phleser. Fel petai'n berchen llwyr ar ei chorff, ac am nad oedd ganddo fawr iawn o wir ddeall am libido benywaidd, symudodd ei law ar draws ei chorff, heibio i'w bogel i orffwys ar ei bwlch blewog, mynyddog, caled. Caled? Dylai fod yn feddal ac yn weddol wlyb. Roedd 'na rywbeth yn gwthio'i ffordd allan o'i chedor! Aildeimlo!

O rwber neu blastig. Beth ddiawl? Teimlo gwythiennau ar yr ochr. O, ffyc! Feibrator! Cofiai iddo brynu un i Wendy flynyddoedd yn ôl fel jôc. Hithau'n atgas ei hymateb ar y dechrau. Tyfodd y teclyn ar frys yn rhan anhepgor o'u cariad rhywiol. Edrych ar ambell fideo masweddol wrth dylino'u cyrff ag olew neu'r feibrator ar ffurf cala. Un o liw cnawd i ddechrau. Ar ôl gweld un fideo hollol ddigywilydd, Wendy'n gofyn iddo brynu un du iddi. 'I'm hatgoffa am y boi croenddu wedi hongian fel stalwyn yn y ffycin ffilm 'na!' Tom wrth ei fodd yn meddwl ei fod wedi taro ar atgyfodiad i'w fywyd rhyw-iol.

O fewn dim, sylweddolodd fod y peiriant sigledig, gwefreiddiol yn ei ddisodli o'i safle fel pleserwr achlysurol, hyd yn oed, i Wendy. Digwyddodd ddod ar draws llyfr hiwmor yn cymharu dyn â feibrator:

'Mae feibrator o hyd yn galed.'

'Fydd feibrator byth yn eich cyflwyno i'w fam.'

'Fydd feibrator byth am fynd i'r Llew Coch am un bach ar frys bob nos Wener.'

'Wnaiff feibrator ddim gwrthod dod i'r gwely am fod gêm fawr ar y teledu.'

Ac, yn awr, roedd Anna'n gweld ei eisiau gymaint fel y bu'n rhaid iddi ddefnyddio'r teclyn 'ma'n ei le? Symud-odd ei law'n dyner eto i afael ynddo i'w droelli.

Neidiodd Anna'n effro: 'O! Blydi 'el!'

'Beth sy?'

'Mair? . . . Tom, fe ges i ofn!'

'O't ti'n siŵr o fod yn bryddwydo. Ti'n iawn nawr.'

'Tom bach, diolch byth!'

'Am beth?'

'O? . . . Dim ond mai ti sydd yma. Dyna i gyd.'

'Ti'n siŵr?'

'Ydw! Rwy'n blydi siŵr!'

'Iawn. Iawn. Rwy'n flin i fi dy ddeffro di.'

'A fi . . . Na, Tom. Ddylwn i ddim bod wedi dweud hynny.'

'Anghofia fe.'

'Sori, Tom.'

' 'Sdim ots.

'Tom, yn ôl dy lais, mae yna dipyn go-lew o ots. Beth sydd o'i le?'

'O'n i ddim yn dishgwl twmlo'r teclyn 'na rhwng dy goese di!'

'O, na! Deimlaist ti e?'

'Do. Pam?'

'Dim byd . . . Jest . . . Wel . . . O'n i ar goll hebddot ti.'

'Ddest ti â fe 'da ti?'

'Do. Yr holl ffordd o'r U.D.A.'

'O leia 'nest ti ddim 'i brynu'n y tridie d'wetha.'

'Wel, na. Wrth gwrs.'

'Mae'n olreit, 'te?

'Ydi? Beth ti'n feddwl?'

'Dy fod ti wedi prynu'r feibrator cyn dod draw 'ma.'

'Pam?'

'O! . . . Dwy i ddim yn blydi gwbod! Ddylen i fod wedi cau 'ngheg!'

'Pam?'

''Sdim ots nawr! Mae e wedi'i 'neud!'

'Tom, oes mae yna ots. Pam?'

'O! Dwy i ddim yn ffycin gwbod! Allwn ni orffen y sgwrs 'ma?'

'Pam? Beth sydd o'i le ar ddefnyddio feibrator?'

'Dwy i ddim yn gwbod! A 'na ddigon.'

'Na, Tom. Dyw e ddim yn ddigon. Mae'n bwysig i mi wybod beth sy'n dy gnoi di.'

'Dim byd. O'n i'n edrych 'mla'n gymint at ddod 'nôl i rannu gwely 'da ti. A wedyn, 'ma hyn yn digwydd.'

'Tom, wyt ti ddim yn dechrau meddwl fod y ffycin feibrator 'ma 'da fi i'th ddisodli, neu beth?'

'Dwy i ddim yn gwbod beth i'w feddwl bellach.'

Dechreuodd Tom feichio crio fel babi.

'Tom, beth ddiawl sy'n bod? Wyt ti ddim yn deall nad oeddwn i ond am baratoi i'th groesawu di adre?'

'Doedd . . . Doedd e ddim ll'wer o groeso!'

'O, Tom. Doeddwn i ddim yn gwybod y bydde fe'n cael yr effaith 'ma arnat ti. Ond pam?'

'Anna, dwy i ddim yn gwbod ffor' i 'weud hyn . . .'

'Ie?'

'Ca'th Wendy a fi dipyn o sbri o ddefnyddio feibrator am gyfnod.'

'Wel?'

'Wel, ar ôl cyfnod 'itha' hapus, a'th pethe o whith.'

'Ym mha ffordd?'

'O'dd hi'n well . . . O'dd hi'n well ganddi ddefnyddio'r feibrator na 'nghnychu inne'n y diwedd!'

'A dyna pam rwyt ti wedi diflasu cymaint?

'Ie, sbo.'

'Tom, cred fi. Doeddwn i ddim yn bwriadu mynd i gysgu a gadael i ti ddarganfod y blydi peth. Ond . . .'

'Ond beth?'

'Wel, roeddwn i wedi blino'n lân ac . . . fe syrthiais i gysgu.

' 'Na i gyd o'dd.'

'Ie, wrth gwrs.'

'Ti'n siŵr?'

'Rwy'n siŵr. Nawr, tyrd i'r gwely 'ma i mi gael dy groesawu di'n iawn.'

'Iawn.'

Pennod 6

'Mr Richards, ma' Mr Johnson newydd ffonio. Ro'n nhw
fod 'ma erbyn pump o'r gloch. Prynu tŷ, chi'n cofio? 'Nes
i'r apwyntiad echdoe.'

'O, ie. Paid â gweud 'u bod isie dod yn hwyrach.'

'Na. Dŷn nhw ddim yn dod o gwbl. 'Na pam ffoniodd
e.'

'O wel. Ennill rhai, colli eraill.'

'Mae e wedi colli. Roedd e'n llefen ar y ffôn.'

'Pam?'

'Am ei bod hi wedi rhoi'r gore iddo fe. Ro'n nhw wedi
bwriadu priodi'r flwyddyn nesa.'

'A?'

'A ma' popeth wedi mynd i'r wal.'

'Gwell i hyn ddigwydd nawr iddo nag ysgariad mewn
deng mlynedd . . . Rwy'n gwbod 'mod i'n sgeptig ond
'na'r gwir i ti, Sioned.'

'Iawn, Mr Richards. Ma' hawl 'da chi i fod yn sgeptig.
Ym . . . Chi'n meddwl y ca' i fynd yn gynnar heno? Ma'
hi'n ben blwydd Marc, chi'n gweld.'

'Faint o'r gloch yw hi nawr? Cwarter 'di pedwar. Ti 'di
gorffen y llythyre i gyd i fi? . . . Iawn . . . Nid dy dro di
yw hi i weithio'n y dderbynfa? . . . Na. Wel, man a man
dy fod ti'n mynd nawr 'te.'

'Chi'n siŵr? Diolch, Mr Richards.'

'Gwna'r gore ohoni, Sioned. Bydd arnat ti dri chwarter
awr o waith i fi, cofia.'

'Dim trafferth, Mr Richards. Ond, wel, a dweud y gwir
wrthych chi, mae'n bwysig fod heno'n mynd yn iawn,

ch'wel'.'

'O? Odi'r Marc 'ma'n mynd i ofyn i ti'i briodi e ne' beth?'

'Wel . . . wel, alla i rannu cyfrinach 'da chi, Mr Richards?'

'Pam lai?'

'Wel . . . Ma' Marc yn ddeg ar hugain oed heddiw.'

'Gwych, w. A ti yw'r ferch iddo fe?'

'Rŷn ni'n eitha hapus 'da'n gilydd.'

'Pob lwc i chi'ch dou, 'weda i. Ers faint wyt ti'n byw 'da Marc nawr?'

'Saith mis ers i ni symud i fflat 'da'n gilydd.'

'Rwy'n gobeithio fod Marc yn sylweddoli'i fod e'n cym-ryd arno gyfrifoldebe am ucen mlynedd a mwy.'

Sylwodd Tom fod 'na eironi yn ei lais. Beth allai hi ddisgwyl ac yntau wedi dioddef cymaint o briodas.

'Gwell i ti fynd, Sioned. Ne' fydd hi ddim yn werth dy fod wedi gofyn am ganiatâd i fynd yn gynnar.'

'Ie. Diolch, Mr Richards. Rywbryd arall, cofiwch. Os bydd eisie i mi aros yn hwyr.'

'Paid becso. Fe fydd 'na isie, gei di weld.'

A ffwrdd â hi i'r bywyd tu allan i swyddfa gyfyng Tom. Lle nad oedd ef bellach yn gartrefol . . .

Aeth dros bythefnos heibio ers iddo gwrdd ag Anna yng Nghaerdydd. Roedd wedi trefnu wythnos o wyliau adeg yr Eisteddfod, ond nawr roedd 'nôl wrth ei ddesg ers wythnos. Wythnos o fywyd priodasol. Heb fod yn briodas gefn wrth gefn. Fel yn y dyddiau cyntaf gyda Wendy. Siarad. Digon o siarad. Dangos tipyn o Lundain i Anna gyda'r nos. Y Llundain gyfrin. Nid Llundain y twristiaid. Mannau fel Bryn y Senedd yn Hampstead a'r Delyn Gymreig wrth Hendon. Ambell bryd o fwyd allan. Mannau allan o'r cyffredin. Fel y Tŷ Ffalaffel ar Fryn Haferstoc. A phrynu *bagels* am un o'r gloch y bore o bobty Iddewig yn Golders Green. Darllen papur yfory cyn mynd i'r gwely. Ac yna tylino'u cyrff cyn cnychu'n ddi-baid hyd oriau mân y bore. Sylwodd Tom fod y siarad, y bwyta a'r ymweliadau o gwmpas Llundain yn rhan anhepgor o dylino meddwl Anna. I'w pharatoi iddo gael ei chnychu bob nos. Proses fecanyddol. Anghofiodd ym mlynyddoedd diweddaraf ei briodas ei bod hi'n anghenraid tylino meddwl i gael bywyd rhywiol.

Arferai gyrraedd adref wedi saith i gŵynion cyson Wendy. Ei feddwl yn dal yn y swyddfa wrth fwyta pryd gyda'r teulu. Helpu i lenwi'r peiriant golchi llestri, ie, ond wedyn . . . Wedyn? Wel, roedd yn rhaid gweld newyddion naw ar y teledu, on'd oedd? Ac yna, rhyw ddrama, ffilm neu raglen ddogfen cyn mynd i'r gwely tuag un ar ddeg.

'Sut ar y ddaear wyt ti'n disgwyl i mi agor fy nghoesau i ti a ni braidd wedi cyfnewid gair trwy'r noson? Alla i ddim dy dderbyn i mewn i'm corff heb rywfaint o ramant. Pam na elli di 'ngharu? Dim ond ychydig. Falle bydde pethe'n well. Fel ma' hi nawr, rwyt ti am i gnychu fod fel troi tap 'mla'n.'

Deallai Tom sail cwyn Wendy'n llwyr, ond, rywsut, ni allai wneud dim ynglŷn â'r sefyllfa. Cymerodd yntau fwy o amser na Wendy i sylweddoli pa mor bell roedd wedi symud oddi wrth ei deulu. Lleihau fu hanes ei chwantau rhywiol wedi'r cyffro cynnar ac felly lleihau fu ei brocio ar gorff Wendy yn eu gwely gyda'r nos. Doedd Wendy ddim yn hapus o gwbl ynglŷn â phethau a gofynnodd iddo sawl gwaith a oedd yn wrywgydiwr. Beth? A hi wedi gwrthod ei ymdrechion cyhyd? Amhosib y gallai hi gredu'r fath beth. Ond beth oedd pwrpas ymgyhydu os nad cnychu o bryd i'w gilydd? Erbyn i Tom weld y diwedd, roedd Wendy wedi hen baratoi am y dydd. Ac ail-gysylltu â Raymond. Basdad o gyd-ddigwyddiad . . .

Heno, ar nos Wener o waith, ar ddechrau perthynas newydd, dylai fod yn llwyr frwdfrydig i ruthro adref am benwythnos cyffrous yng nghwmni Anna. Dim apwyntiad gyda'r Johnsons wedi'r cyfan. Dywedodd y bore 'ma y byddai'n ôl yn y fflat tua saith. Gallai fod yno'n hawdd erbyn chwarter wedi pump os nad cyn hynny. Roedd ei ddesg yn gymharol daclus. A'r gwaith mewn cyflwr go dda. Roedd 'na rywbeth, fodd bynnag, yn ei glymu wrth ei ddesg. Prin y gallai Tom esbonio pam, ond roedd newydd-deb y berthynas gydag Anna'n pallu'n barod. Pam? Bu syrthio mewn cariad â Wendy'n achlysur gwefreiddiol heb ei ail, ond nawr doedd pethau ddim yr un fath. Nesáu at ganol oed, efalle? Bu'r penodau rhywiol yng nghwmni Anna lawn mor wefreiddiol. Yn wir, weithiau'n orwefreiddiol. Dadwisgo. Teimlo. Byseddu. Llyfu. Chwythad. Sugno. Cnychu. Ar un achlysur wrth groesi Llundain dywyll ar ganol noson gynnes, cyfnewid eu dillad yn y car. Doniol, a dweud y lleiaf, oedd yr olygfa'n y drych hir yn ei fflat, wrth iddynt weld Tom, gymharol dew, fel rhyw ddyn *Michelin* yn un o wisgoedd haf Anna.

A beth ddiawl fyddai'r cymdogion wedi'i ddweud o glywed amdanyn nhw ar noson arall yn cnychu'n noeth yn y lifft? Buont i fyny ac i lawr dros ddwsin a hanner o weithiau'n ceisio darganfod ar ba lawr oedd eu horgasm gwibiog.

Do, cawsant sbri ac asbri am ddyddiau ond . . . Ond beth? Anodd oedd canolbwyntio ar y broblem ond . . . Efalle mai gwybod y byddai Anna'n dychwelyd i America mewn chwe diwrnod oedd y broblem. Efalle mai gorgyfarwyddo â'i gilydd. Yn barod? Pythefnos ar ôl cwrdd? Does bosib. Efalle fod ei isymwybod yn ei rybuddio rhag dilyn yr un llwybr am yr eildro. Beth bynnag oedd y broblem, roedd yn ei glymu wrth ei ddesg. Ceisiodd ddarllen ffeil heb fawr o lwyddiant. Doedd 'na ddim brys mawr i ddelio â phethau. Popeth wedi'i baratoi. Y cleient yn aros nawr am gynnig o forgais gan gymdeithas adeiladu.

Gosododd Tom y ffeil 'nôl wrth gongl bellaf ei ddesg.

Wrth ymyl ei hoff lun o'r plant. Ar wyliau yng Nghymru gyda'i fam ddwy flynedd yn ôl. Syllodd ar y llun am funudau cyn sylweddoli fod y dagrau'n llifo ar draws ei fochau. Beth oedd pwrpas creu dwy ferch hyfryd ac yna dinistrio'r bywyd teuluol? Roeddynt mor bell oddi wrtho nawr. O ran athroniaeth, o leiaf. A chanddynt lystad yn gweithio yn y byd addysg. Ei ddiddordeb yn eu haddysg yn un proffesiynol. Nid yn allanwr fel Tom. Bu Tom yn ceisio, ers blynyddoedd, gyfaddawdu â'r newidiadau addysgol ers ei ddyddiau ysgol yntau. Heb fawr o lwyddiant. Gwell ganddo adael y gwaith i'r bobl broffesiynol. I'r gwybodus. I'r arbenigwyr. Yn ôl Wendy, roedd cael Raymond fel llystad fel manna o'r nefoedd i addysg Olwen a Mary. Wrth gwrs, mae e fel manna i ti. All e ddim gwneud dim o le am y tro. Aros di tan iddo orffen siarad â thi gyda'r nos. Mae wedi ysgaru unwaith hefyd. Pam? Am fod ei gyn-wraig yn ddiawl o fenyw? Neu, falle, bod 'na 'chydig o fai arno yntau? Chwech o un a hanner dwsin o'r llall.

Nos Sul, byddai'r merched yn dod i aros yn y fflat am bythefnos. I adael i'w mam fynd am wyliau moethus i un o ynysoedd Groeg. Ac Anna'n aros am wythnos arall, byddent fel teulu unwaith eto. Llysfam dros dro yr holl ffordd o'r U.D.A. Roedd Anna'n barod wedi addo treulio tipyn o amser gydag Olwen a Mary. Cyfle i fynd i siopa. Gorchwyl na roddai unrhyw bleser i Tom. A Llundain yn llawn o amgueddfeydd, ac oriel ar gornel bron pob stryd. Pam gwastraffu amser yn siopa? Gwyddai Tom na fedrai byth ddeall menywod. Cnoc sydyn ar y drws. Gwên Arthur yn dilyn y gnoc i mewn i swyddfa Tom.

'Wel, mae'r merched 'ma wedi trefnu pethe tu ôl i'n cefne ni 'to. Chi'n dod i swper 'da ni nos 'fory.'

'Ni? Beth ti'n feddwl?'

'Ffoniodd Ffiona dy fflat di gynne a siarad 'dag Anna. Bydd hi'n falch iawn i dderbyn y gwahoddiad, mae'n debyg. Ac fe ddylen ga'l cyfle i gwrdd â'r dalent sy 'di mynd â'th galon a denu dy gala.'

'Blydi 'el. O'wn i'n gwbod na ddylwn i ddim bod wedi gweud dim wrth Jonathan am Anna.'

'Pam? O't ti isie'i chadw'n gyfrinach i ti dy hunan?'

'Na, ddim yn hollol. Ac nid dyna'r pwynt.'

'Pwy bwynt sy 'te?'

'Dim ond 'y mod i isie mwynhau cwmni Anna am wthnos. 'Na i gyd.'

'Isie'i chnychu am wthnos, ti'n feddwl.'

'Arthur, ma' dy feddwl di fel carthffos!'

'Tom bach, dwy i ddim ond yn llawn cenfigen. Ond, paid â becso. Fe ddechreua i ddylyfu 'ngên tuag un ar ddeg er mwyn i ti ga'l mynd sha thre'n gynnar i gnychu.'

'Ffyc off, Arthur.'

'Paid bod mor gas, 'achan. Isie bod yn dy le di 'dw i. Rwy bron â marw isie cwrdd ag Anna. Dim ond i weld shwt ddewis sy 'da ti.'

'Ffyc off, Arthur.'

'O, dere 'mla'n, w. Fydda i'n hanner cant mewn chwe mis. Ma' Ffiona flwyddyn yn gwmws yn ifancach na fi a ni ar fin dathlu'n priodas arian. Ma' dros ddwy flynedd ers i ni gnychu ac rwy'n gofyn bob dydd beth yw'r pwynt o fod yn briod.'

'Falle 'tase ti'n siarad 'da Ffiona'n lle siarad ati, fe fydde pethe'n wahanol.'

' 'Na beth ti'n 'i 'neud 'da hon o 'Merica? Dim ond siarad. Ŷch chi'n cnychu wedyn?'

'Ffyc off, Arthur!'

'Wel, os taw 'na beth sy'n digwydd i rywun canol o'd sy'n meddwl am ailddechre cnychu, mae'n well 'da fi fod yn ddi-gnwch.'

'Ffyc off, Arthur!'

' 'Sdim llawer o synnwyr yn y swyddfa 'ma heno, 'te. Felly, wela i di sha wyth o'r gloch nos 'fory. Falle bydd dy dafod yn gwitho'n well erbyn 'ny.'

'Arthur, ma'r blynydde d'wetha 'di bod yn boenus i fi.

Ll'wer mwy poenus na dy berthynas di â Ffiona.'

'Iawn. *Touché.*'

'Unrhyw air am gnychu nos 'fory ac mi fydda i'n cerdded mas. Ti'n dyall?'

'Yn berffeth. Mae'n amlwg 'y mod i 'di taro nerf. Ddylwn i ymddiheuro?'

'Gad i fi fynd sha thre nawr i . . .'

'Gny . . .'

'Cau dy geg, Arthur! Ne' fydd 'na sarnu gwa'd!'

'Olreit! Olreit!'

'Reit. Rwy'n mynd. Rwy i di ca'l hen ddigon ar y lle 'ma tan ddydd Llun.'

'Nos da, 'te. Wela i ti.'

'Ie. Wela i ti.'

O'r blydi diwedd, myfyriodd Tom, wrth weld tin Arthur yn diflannu trwy ddrws ei swyddfa. Roedd Arthur yn un o'i gymdeithion hynaf. Wedi bwrw prentisiaeth, fel Tom, yng Nghaerdydd. Fel Tom hefyd, yn hanu o gefn gwlad Cymru. Fel Tom, yn Gymro Cymraeg. Fel Tom, wedi priodi Saesnes. Fel Tom, wedi magu plant di-Gymraeg. Yn wahanol i Tom, fodd bynnag, yn dal yn briod. Ffiona'n unig blentyn i Syr Rhywun-Neu'i-Gilydd o Swydd Gaerlŷr. Yn berchen ar gannoedd o erwau moethus. Yng nghyffiniau Dyffryn Belvoir. Wedi gwrthwynebu'r cynllun i gloddio am lo brig yn y Dyffryn. Ac Arthur y tu cefn i'w dad-yng-nghyfraith. I'r carn. Petasai bywyd rhywiol Arthur a Ffiona wedi marw chwarter canrif yn ôl byddai Arthur wedi dal ati gyda'i fywyd priodasol. Er mwyn etifeddu erwau Syr Pwy-a-Pwy. 'Ma'r basdad yn dal yn fyw, yn anffodus, Tom . . . Na. Ddylwn i ddim gweud y fath beth, wrth gwrs.'

O wel, noson gyda Ffiona ac Arthur nos yfory. Un peth, wrth gwrs, fyddai'n sicr. Pryd o fwyd heb ei ail. Ffiona'n gogyddes *cordon bleu* ar ôl ysgol yn y Swistir. A chanddi wybodaeth eang am y celfyddydau cain. Wedi'i pharatoi ar gyfer priodi'n dda. Arthur yn dipyn o siom i'w thad ar y dechrau. Er iddo gael gradd arbennig o dda yn Rhydychen. Ond ei dad yn ddirprwy-drysorydd i gyngor bwrdeistref yn ne Cymru cyn ymddeol ar bensiwn hanner-cyfforddus. Ac, wrth gwrs, yn aelod blaenllaw o'r Seiri Rhyddion. Fel Syr Tad-Ffiona. Hyn yn ei gwneud hi'n iawn i ddioddef Arthur-bach-o-gefn-gwlad-Cymru fel mab-yng-nghyfraith.

Wrth iddo bendroni am sefyllfa Arthur a Ffiona, carlamodd y cloc ymlaen at ugain munud wedi pump. Gwell mynd 'nôl i'r fflat, wedi'r cyfan, meddyliodd. Wedi'r cyfan? Na, doedd pethau ddim mor ddrwg â hynny. Gwell mynd adre at gwmni a chnychu Anna nag i briodas ddiffaith fel gynt gyda Wendy. Neu fel Arthur a Ffiona. Bythefnos yn ôl, sylweddolodd Tom, roedd am sugno ar dethau meddwl Anna a thylino clitoris ei dirnadaeth. Nawr, roedd am ei chnychu'n fecanyddol cyn cysgu a gorffwys. Heb wir gariad tuag ati. Efalle o wybod mai ond wythnos arall oedd ganddynt. Teimlai gyfeillgarwch aruthrol tuag ati ond diflannodd y wefr yn raddol dros y tridiau diwethaf. Yn wir, er iddynt fwynhau penwythnos gwych yng nghwmni'i gilydd wythnos yn ôl, gwyddai Tom nawr na fyddai'r penwythnos i ddod hanner cystal.

Yn wir, roedd yn falch fod Ffiona wedi bod mor hy â'u gwahodd i swper nos yfory. Byddai rhannu'r baich sgyrsiol yn ysgafnhau'r broses o gampau meddyliol.

Gadawodd ei swyddfa'n ddiffarwél. Poenus oedd meddwl am yr angen i fynd adre i siarad. Dros y misoedd, cyfarwyddodd â thawelwch ei fflat. A'r cyfle i ddewis rhwng tawelwch a sŵn. Radio. Cryno-ddisg. Neu deledu. Cerddorfa neu ganu gwerin. Roc trwm neu opera. Ond nawr, cyrraedd adre i gyfeiliant o ddewis Anna. 'Sut ddiwrnod gefaist ti, cariad?' Blydi diflas! 'Mae'r gyfraith mor ddiddorol.' Ydi, i leygwr! Mecanyddol ac undonog i rywun sy'n gweithio'n y maes bob dydd. Oes 'na rywun allan yn y byd mawr sy'n wir hapus yn dilyn ei yrfa?

Y drafnidiaeth drwy Hendon mor araf ag arfer. Peint o chwerw ym mar y clwb sboncen ar draws y ffordd i'r fflat? Dyna fyddai'r therapi gore. 'Fydd Anna ddim call-ach,' sibrydodd Tom wrth ei gymdeithion ar yr A41. Sleifio i mewn i gongl anghysbell y maes parcio cyn llithro trwy gil y drws a rhuthro i fyny'r grisiau i'r bar.

'Duw, Tom. Rwyt ti'n edrych fel bod hanner y Met ar d'ôl di. Gwell i ti roi'r peint ola iddo ar frys, Ffred. Cyn i'r glas ddod a'i ddwyn o'n cof.'

'Diolch, Wil.'

'Diolch, Wil? 'Na'r cyfan s'da ti i'w ddweud? Beth am "Ha, blydi Ha"?'

'Pam?'

'Pam? Ti'm yn cofio? Rwy i newydd ddod 'nôl o wyliau o gwmpas "Hen wlad dy dadau". A ma' 'na hiwmor *yn* bod yno wedi'r cyfan. Ond 'chest ti mo dy siâr, naddo?'

'Beth ddiawl sy'n dy bigo di, Wil? Rwyt ti'n dal ar d'wyliau, cofia. A ma'r bygar 'ma wedi bod yn slafio wrth ei ddesg trw'r dydd.'

'Slafio? O leia ma' gen ti hiwmor, Ffred. Pwy welodd ffycin cyfreithiwr byth yn slafio?'

'Beth ar y ddaear 'na'th i fi ddod miwn fan hyn am damed o lonydd heno, bois? All dyn ddim dod am beint tawel ar ddiwedd wthnos o ddiogi miwn swyddfa cyf-reithwr?'

'Hei, Ffred! Ma' 'na'r mymryn lleia o hiwmor yn per-thyn i'r Tom Cymro hwn wedi'r cyfan. Dau neu dri pheint arall ac fe gawn wên fach. Hanner dwsin a chwisgi neu ddau ac fe fydd e'n dechrau chwerthin!'

'O, ie? Gwell i fi ddodi'm llaw'n 'y mhoced ne' fydd cyf-reithwyr yn ca'l enw drwg fel Cardis 'to!'

'Ac ie. 'Na rywbeth newydd ddysgais i ar fy ngwyliau. Sôn fod trigolion rhyw dalaith fach o Ddyfed mor gyndyn â'r Albanwr am bres. Ac ma'r rheiny mor dynn ag roedd cont yr hen fisus 'na oedd gen i ers talwm. OND, dyw e ddim mor wir â hynny.'

'Na?'

'Nac ydi, Tom. Ro'n i mewn tafarn yn Aberaeron tan dri o'r gloch y bore, Sadwrn diwethaf. A chriw o'th gydwladwyr yn taflu'r cwrw i lawr fy ngwddf.'

'Na?'

'Os 'nei di chwarae dy gardiau'n iawn, dim trafferth. Y cyfan ddywedais i oedd ei bod hi'n angenrheidiol i rygbi Cymru fod yn fwy llwyddiannus er mwyn sicrhau fod rygbi Prydain gyfan 'nôl ar y brig.'

'Y blydi rhagrithiwr! Tom, faint o weithe ma' Wil wedi bod yn procio dy frest yn y blynydde d'wetha? Am fod rygbi Cymru yn y gwaelodion. Ti'n ei gofio fe'n rhoi canpunt dros y bar i ddathlu'r grasfa enbyd 'na gawsoch chi yn Nhwicenham?'

'Gaf i byth anghofio? Ond Wil, shwt wylie gest ti 'da Mandy?'

'Ffantastig! 'Na'r unig air. Oedd pethau fel cyfnod o fwrw swildod! Dwy i ddim yn credu y galla i gadw i fyny gyda hi am hir iawn.'

'Wil ar 'i wylie 'da "Randy Mandy"?'

'Gwrandewch, hogie. Bûm ar fy mhen fy hunan am ddeunaw mis cyn i Mandy symud i mewn i'r fflat. Rŷn ni'n cnychu'n ddigon aml gartre. Ond, ym mhob gwesty gwely a brecwast roedd hi'n ymddwyn fel 'tai wedi cael ei rhyddhau o ffrwynau gwaharddiadau.'

'Na?'

'Na, myn uffarn i! O'dd hi'n prynu'r dillad mwya pitw ac awgrymog posib. A wisgodd hi ddim pâr o nicers ar ôl chwech o'r gloch unrhyw noson.'

'Blydi 'el, Wil! A faint yw 'i hoedran hi? Rwy i 'di anghofio, Tom. Ti'n cofio?'

'Pedair ar bymtheg a han . . .'

'Reit, hogie! Fydda i 'da chi mwn eiliad. Rwy i ar genol

ca'l gwybodaeth bwysig wrth Wil fan 'yn.'

'Pwysig? Odi, gwlei! A ma' hi'n ddeg mlynedd ar ucen cwmws yn ifancach na finne. Y fuwch wirion! Dwy i ddim wedi dweud wrthi 'mod i wedi ca'l fasectomi!'

'Na?'

'Na? Odi dy nodwydd di wedi stico ne' beth, Tom? 'Na'r cyfan wyt ti wedi'i 'weud ers pum munud. Eniwê, ma'r ast yn meddwl 'bod hi'n cnychu i 'neud ffycin babi! Chi wedi cl'wed rwbeth 'anner mor ddwl? A finne'n cnychu ond i ga'l rhyddhad o'r pwyse ar 'y ngherrig!'

'Ti'n fasdad o gont, Wil . . . Reit, bois! Rwy 'da chi! Pedwar peint? . . . Beth ti'n meddwl, Tom?'

'Fi?'

'O'r ffycin diwedd! Mae e 'di symud 'mla'n at air newydd! A 'sdim ffycin ots 'da fi beth ma' neb yn meddwl. Mae'n hen bryd i ti ga'l gafel mewn cont 'lyb, Tom. Ti 'di bod ar dy ben dy hunan am ry hir. A, Ffred, un arall draw fan hyn i Tom a finne!'

'Na? . . .'

'O, ffyc! Ma'r blydi nodwydd 'di mynd 'nôl! Beth sy? Nag wy'n ddigon da i yfed 'da ti heno?'

'Nid 'na'r pwynt. Ma'n rhaid i fi fynd sha thre.'

'Sha thre? Pwy sy'n dy ddishgwl di? Y Prif Wein-idog? . . . Tywysog Cymru? . . . Hei! Ma'r geinog newydd gwmpo! Rhyw damed o gont flewog i'w chnychu! Iawn! Ti'n gwrido, Tom! Ffred! Bois! Ma' Tom fan 'yn 'di ca'l gafel mwn tamed o sgert i'w chnychu!'

'Wil! O's rhaid i ti fod mor . . . ?'

'Ffycin hen bryd, gwlei! Cer adre i roi un wrthon ni gyd! A wedyn . . . a wedyn . . . ar ôl i ti ga'l cawod, gyda llaw, gyda llaw . . . Gyda llaw . . . Rwy'n lico hon'na! . . . Dere â hi draw fan 'yn i ni ga'l twlu lligad drosti!'

' 'Ta fi ddim yn dy 'nabod ti'n well, Wil, fe fyddet ti 'di ca'l uffach o glatshen erbyn hyn . . .'

'Bygar off, Tom! Cer i dwlu dy had rhwng 'i choese! A chofia . . . Rwy am 'i harchwilio hi rywbryd.'

'Alla i fyth dod â hi fan 'yn i'ch diodde chi i gyd.'

'Na, gwlei, Tom. Bydd Wil yn gwbod pwy liw nicers sy 'da hi a beth f'ytodd hi i frecwast cyn pen dim.'

'Os bydd hi'n dod 'ma ar ôl whech o'r gloch, ddyle hi ddim fod yn gwishgo nicers! Cred ti fi, Tom! Os yw hi'n mynd i fod yn ddigon da i ti, dim nicers ar ôl amser te. Ond i'r tŷ bach â fi nawr 'te, bois. Dod un arall yn barod i fi, Ffred!'

'Ti'n gwbod, Tom? Ma'r diawl 'na 'di cyrra'dd 'nôl o'i wylie am bedwar y prynhawn. G'neud Mandy i'w ad'el fan 'yn i ymarfer tra'i bod hi'n ôl yn 'u fflat nhw'n golchi dillad pyth'wnos o wylie. A mae e'n meddwi ar frys cyn iddi hithe alw amdano fe boutu wyth i fynd am gyri!'

'Cyri? A'r holl gwrw mae e'n 'i lyncu? Fydd e'n siŵr o hwdu siwrne gaiff e gyri! . . . Ffred, ma'n rhaid mynd. Wela i ti.'

'Wela i ti, Tom. A, cofia, rho un iddi wrth y clwb!'

'Ffwrcha bant, Ffred! Ti cynddrwg â Wil.'

'Diolch, Tom.'

'Cnycha bant, Wil!'

Gan fod Wil wedi dychwelyd o'r tŷ bach, penderfynodd Tom wacáu ei bladren o weddillion chwerw Whitbread. Wrth chwibanu *Hen Wlad Fy Nhadau*, am beint a hanner o sblash, sylwodd ar y peiriant condoms ar y wal. Un peth yn sicr, meddyliodd Tom, dyw'r cyfieithiad Cymraeg diweddaraf ddim yn argoeli'n dda am gyflwr yr iaith. *Sachau dyrnu* myn uffarn i! Dyrnu yn llawer rhy debyg i dreisio. Byddai'r ffeministiaid i gyd yn gwarchae cartre golygydd y geiriadur newydd cyn hir. A llawn haeddiant hefyd! Condom fyddai'r gair i Tom. Gwahanol liwiau. Gwahanol ffurfiau. Gwahanol ffurfiau? Sut ar y ddaear y gallai sicrhau fod ffurf ei gala yn dilyn un o batrymau'r pethe 'ma? Falle, ar ôl prynu'r blydi peth, byddai'n rhaid ei ddangos i bawb yn y bar nes dod ar draws rhywun â'r ffurf iawn ar ei gala! Gofyn i Wil fyddai'r ateb! Profiadol y diawl, Wil. Meddyla. Yn cnychu Mandy'n rhacs bob nos a hi'n anelu at gael babi. Wil yn ei chnychu i anelu at gael orgasm!

Dychmygodd Tom Wil a Mandy wrthi ryw brynhawn. Mandy ar ei phedwar ar y llawr. A'i thin yn yr awyr. A'i phen o dan y teledu. Hambwrdd ar ei chefn. Chwe pheint o Whitbread ar yr hambwrdd. Wil ar ei bengliniau tu ôl iddi. Wedi ei gladdu ynddi. I'r carn! Arsenal yn curo Tottenham. 'Pas y creision 'na'n ôl i fi, Mandy fach.' Nefoedd ar y ddaear i Wil!

'Dere, Tom. Un arall cyn mynd 'nôl at dy hwren!'

'Wil, ti 'di mynd rhy bell tro 'ma!'

A rhuthrodd Tom at y Sais a'i ddyrnau'n mynd fel olwyn wynt.

'Tom! Gad 'i, 'nei di! Tom! Tom!'

Daeth tri chawr o gornel bella'r bar i wahanu Wil a'i orthrymwr. Cyn i hynny ddigwydd, llwyddodd Tom i gael tair neu bedair ergyd at stumog Wil. Heb fawr o effaith. Pa obaith oedd gan gyn-fewnwr ail dîm rygbi rhyw ysgol breswyl ddi-nod yng nghefn gwlad Cymru yn erbyn cyn-flaenasgell â phrofiad o chwarae dros y *Wasps* a'r *Saracens*? (Y *Wasps* a'r *Saracens*, fel yr *Harlequins*, yn gwrthod ychwanegu enw lle er mwyn cadw'r rhyddid i ddenu chwaraewyr o unrhywle ac o bobman.) Dim cystadleuaeth. Un ergyd chwith gan Wil at geg Tom ac roedd fel sach datws wrth draed y cewri.

'Blydi 'el! Ma' fe ma's fel gole!'

Chlywodd Tom ddim o'r geiriau hyn ond teimlodd y canlyniad a'u dilynodd. Cyn derbyn yr ergyd fawr, bu'n llwyddiannus ag un hanner-cadarn ei hunan i stumog Wil. Effaith y cyfuniad o'r ergyd a sawl bynnag peint o chwerw ar gyfansoddiad Wil oedd peri iddo chwydu. Anelodd Wil ei geg, o bwrpas neu ar ddamwain, ni wyddai Tom ddim gwell, at ben diymadferth Tom. Deffrodd fel petai o dan gawod gynnes. Wrth i'w ymennydd ailgydio'n y byd o'i gwmpas, teimlodd Tom fel petai yng nghanol bragdy drewllyd. Ond yna, cofiodd ei fod yn y clwb sboncen. Yn ceisio ymladd gyda Wil! Y diawl o Sais!

'Reit, 'na ddigon! Hen blydi digon! Chi'ch dou'n cl'wed? Ma's â chi nawr! Ar unweth! A dim dod 'nôl fan hyn tan ddiwedd mis Medi!'

'Beth uffach wyt ti'n meddwl, Ffred? Rwy yn nhîm y *Fets* yn y gynghrair sy'n dechre wsnoth nesa. Ni'n bownd o ddod am gwpwl o beints wedyn, t'wel' a . . .'

'Dim eithriad, Wil! Fi yw stiward y clwb a ma'r gwaharddiad yn dechre nawr. Y funed 'ma! Dwi ddim am dy weld ti, na'r ffŵl o Daff, ar gyfyl y lle 'ma cyn y cynta o fis Hydre!'

'Pam? Nid y fi daflodd yr ergyd gynta! Gwahardd Tom, ar bob cyfri. Ond y fi? Pam ddylwn i ga'l 'y nghosbi?'

'Am ddechre'r ffrwgwd i ddechre ac am fod mor ffôl â'i fwrw e'n ôl!'

'Dim ond blydi amddiffyn 'y'n hunan o'wn i'n neud, w!'

'Wil! Mas â ti nawr!'

'Basdad, Ffred!'

'Dos odd'ma, nawr, Wil! Ne' fydd rhaid codi cwestiwn d'aelodaeth di'n y pwyllgor nesa. Ti'n cofio dy fod ti ar rybudd 'ma?'

'Ond, Ffred . . .'

'Dim *ond* yn y mater! Mas! Nawr! A Tom! Dim esgus 'da ti chwaith! Nawr!'

Llwyddodd Tom i'w reoli'i hun cyn ymlusgo at y drws a llithro'n llipa 'nôl i lawr y grisiau. Yn ei ddillad budr, ffiaidd. Cywilyddus hollol. Pa esgus posib y gallai'i roi i Anna heno? Pam rhoi esgus, yn wir? Nid cartre Anna mo'r fflat. Ac arni hithau roedd y bai wedi'r cyfan! 'Tase hi ddim wedi torri ar draws ei fywyd tawel, didrafferth, fydde hyn ddim wedi digwydd! A'r ffycin clwb sboncen! Symbol o'r math gwaetha o snobyddiaeth dosbarth canol Seisnig! Ac o orthrwm y Sais a Lloegr ar Gymru a Chymry! Basdads o Saeson ŷn nhw i gyd! Pam ddes i 'ma'n y lle cynta? I blith *y* gelyn!

'Hei! Tom! Beth am gyfnewid ymddiheuriadau?' Anghofio am heddi? Beth wyt ti'n 'i ddweud?'

'Ffwrcha odd'ma, Wil! Beth am y blydi hŵd 'ma drosta i i gyd?'

'O ie, Tom! Ha! Ha! Ma' hon'na'n jôc fawr aiff o amgylch y clwb cyn pen dim, gei di weld!'

'Dim diolch, Wil. A dwi ddim yn credu y gweliff y ffycin clwb fi byth eto!'

'Pam, Tom? Gormod o Gardi i brynu rownd 'to?'

'Os wyt ti am ailddechre'r wmladd, gwboi, rwyt ti'n mynd i'r cyfeiriad iawn! Dim ond achos dy fod ti 'di ennill gynne . . .'

'Dere 'mla'n 'te, Taff! Dod dy ddyrne lle ma' dy ffycin ceg di!'

Dechreuodd Tom dynnu siaced wleb ei siwt oddi amdano. Ond yn rhy araf o lawer. Er cymaint ei fedd'dod, roedd Wil yn rhy chwimwth a phrysur i Tom. Ymhen dim, fe'i gwasgwyd yng ngafael arthog y Sais. Prin roedd yn gallu anadlu.

'Taff! Ti mor ffycin gwan â'r tîm rygbi 'na sy 'da chi!'

'Cau dy geg, cont!'

'Pwy sy'n mynd i 'ngorfodi? Ti a pha fyddin?'

'Fe ga' i ti ryw ddiwrnod!'

'Gwranda, Taff! Allwn i wasgu pob anadl allan o'th ysgyfaint 'tawn i isie. Ond, os ydw i am d'adael yn rhydd, dwy i ddim am dy weld ti'n ceisio 'nharo i eto. Does dim cystadleuaeth! Iawn? Rwyt ti'n rhy fach ac yn rhy ffycin gwan! Ti'n deall?'

'Deall be . . . ?'

'HYN!'

Teimlai Tom fel petai hanner dwsin o'i asennau ar fin cael eu chwalu'n yfflon, ond llaciodd Wil ei afael ryw ychydig.

'Ffycin Sais! Ow! Paid!'

'Hei! Beth ŷch chi'n 'neud? Gadewch e i fod!'

Llais miniog, benywaidd, Americanaidd yn torri ar draws y maes parcio.

'Gadewch e i fod!'

Ar hyn, ymlaciodd y wasgfa ar Tom wrth iddo glywed ochenaid boenus o geg Wil. Syrthiodd hwnnw'n ddiymadferth hollol y tu cefn i Tom. Trodd Tom mewn pryd i weld Anna'n rhoi ail gic gadarn rhwng coesau Wil. Clywodd Tom yn ddiweddarach mai'r gic gyntaf a'i lloriodd.

'Diawliaid meddwon ym mhobman! Cefais ddigon o ymarfer delio â nhw yn Efrog Newydd droeon o'r blaen! Beth am alw'r cops?'

'Ffycin ambiwlans sy isie arna i, fenyw!'

'Caewch chi'ch ceg, ddihiryn! Neu hers fydd yn dod i'ch hebrwng!'

'Tom, hon yw dy fenyw newydd di, ai e? Os dd'wedes i'r un gair cas amdani, rwy'n ymddiheuro. Ydw'n wir. O waelod fy nghalon.'

'Tom, beth ma'r cachwr 'ma wedi bod yn 'i ddweud amdana i?'

'Fawr o ddim, fenyw. Wir i chi. Naddo, Tom?'

'Chi'ch dau'n adnabod eich gilydd yn go dda, mae'n debyg. Pam ffyc ŷch chi'n ymosod arno'n y maes parcio? A pham mae dy siwt mewn cymaint o lanast, Tom?'

'Dere, Anna. Gwell mynd i'r fflat i fi ga'l newid a cha'l cawod i lanhau.'

'Blydi dynion! Chlywa i byth esboniad llawn am hyn sbo! Ydyn ni'n mynd i ofidio am y cachwr 'ma ar ei bengliniau? Neu cic arall yn ei geilliau, efalle?'

'Na! Plîs! Rwy'n rhoi mewn nawr! Wir i chi!'

'Beth wyt ti'n ei feddwl, Tom?'

'Gwell 'i helpu fe ar 'i dra'd. Bydd y clwb yn prysuro cyn hir. A'r maes parcio'n llanw.'

'Ie! A 'falle caf fy nharo i lawr yn y drafnidiaeth! A beth wnelai Mandy wedyn?'

'Ca'l gafel mwn rhyw ffŵl arall os o's ganddi unrhyw

synnwyr.'

'Tom, beth wnawn ni ag e? Dyw e ddim yn ddigon sobor i yrru car.'

'Ar ôl y ddwy gic 'na, fenyw, o leia allech chi fynd â mi adre'n ych car chi.'

'Beth amdani, Tom?'

'Alla i ddim mynd yn y car yn y dillad ffiedd 'ma!'

'Pa mor bell ma'ch cartref?'

'Dim ond rhyw filltir a hanner i ffwrdd. Yn Finchley.'

'Tom?'

'Gwell i ti fynd ag e i Finchley. 'Ma allwedd y car. Ddyle hi ddim cymryd mwy na deng munud i ti. Ac mae'n ddigon rhwydd i ti gofio'r ffordd 'nôl.'

'Iawn 'te, feddwyn. Dewch! Ond dwy i ddim yn gwybod yn iawn pam rwy'n gwneud hyn.

'Na finne, chwaith. Gwell i ti fynd 'da hi, Wil. Cyn i fi newid 'y meddwl.'

'Diolch, bois. Fe'ch tala i chi'n ôl ryw ddiwrnod.'

'Wil! . . .'

'Reit, Tom. Pwy fydde'n meddwl chwarter awr 'nôl y byddwn i gymaint o dan fawd rhyw Daff a'i hw . . . gariad.'

'Dewch, Wil, da chi. Neu mi fydd raid i chi gerdded.'

'Diolch 'to, bois.'

Safodd Tom lle'r oedd i wylio'r ddau'n symud ar draws y maes parcio. At ei gar coch, bychan, Ffrengig yn ei gornel ddirgel. Wrth iddo aros i Anna agor drws y car, trodd Wil i chwifio'n ôl at Tom. Gallai Tom daeru mai dau fys dirmygus a godwyd ond efalle mai'i ddychymyg oedd wrthi'n gorweithio. Ymlwybrodd Tom i gyfeiriad y fflat yn ei ddillad drewllyd, brwnt a cheisio casglu ei feddyliau.

Sut yn y byd roedd yr holl ffrwgwd 'na wedi digwydd? Dau ddyn parchus, proffesiynol (Wil yn gyfrifydd yn y Ddinas), canol oed yn brolio, cweryla ac yn ymladd mewn maes parcio clwb sboncen dosbarth canol.

Cyrhaeddodd y lifft i'w fflat. Lwc dda. Neb o'i gymdogion parchus o gwmpas. Cyrraedd ei lawr. Y drws yn agor fel llenni ar lwyfan i ddadorchuddio . . . Rebecca!

Rebecca. Tua deuddeg ar hugain oed. Iddewes. A chanddi swydd (yn ôl y cymdogion eraill) gyda thŷ ffasiwn yn Belgravia. Cyfarwyddwraig mewnforio. Felly'n mynd a dod o bedwar ban byd. O hyd wedi'i gwisgo'n ddeniadol. Yn aml mewn sgert gwta. I ddangos pâr gwych o goesau, myfyriodd Tom. A'i lliw torheulo'n cael ei adnewyddu'n gyson wrth i'w gwaith ddilyn yr haul. Heno, ar nos Wener, fodd bynnag, safai o flaen Tom yn ei dillad parch. Sgert ddu hyd at eu sodlau. Blows o wyrdd tywyll. A siaced ysgafn ddu wedi ei thaflu'n rhydd dros ei hysgwyddau. Yn amlwg ar ei ffordd i'r synagog.

'Noswaith dda, Tom. Gweithio'n hwyr? 'Na beth rwy'n ei hoffi mewn dyn.'

'Wel . . . ie. A nage.' Nerfusrwydd hollol. Synhwyrodd Tom hi'n codi'i thrwyn.

'Hwyl, Tom. Neu mi fydda i'n hwyr.'

'Iawn. Nosweth dda. Wela i chi.'

Roedd drysau'r lifft wedi cau. Y ddrama wedi gorffen. Rebecca barchus, hyfryd, wedi mynd rhagddi. I ofyn i'w Duw am faddeuant am ei phechodau. Maddeuant am bechodau Tom hefyd? Fawr o siawns! Yn amlwg wedi synhwyro'r drewdod ar ei ddillad. Edmygwr o bell. Dyna fu Tom ers blwyddyn a mwy. Wedi ei chwrdd ym mhwyllgor y trigolion. Hithau'n gwrtais ddigon. Ond heb ddangos unrhyw duedd at agosatrwydd. Estron o gymdoges. Heb roi cyfle i Tom i'w hedmygu. Ddim o gwbl. Fel person. Heb sôn am fel menyw. Rywiol. Osgeiddig. Ddeniadol. Noeth . . . Roedd Tom ar ganol llawr ei gegin yn dadwisgo pan sylweddolodd fod ganddo'r codiad mwya cadarn ers pythefnos. Yng

Nghaerdydd. Pan gyfarfu gyntaf ag Anna.

Nawr, fodd bynnag, nid Anna gyfarwydd. Ond Rebecca ddirgel, estron, gymdogol. Yn wrthrych i'w gyffro. Braidd iddo orffen taflu'i ddillad i'r peiriant golchi (HYD YN OED EI SIWT FUSNES!) a symud i'r gawod cyn i Anna floeddio'i ffordd 'nôl i'r fflat.

'Ffycin dynion! Rwy'n falch nad wyt ti 'run fath â'r gweddill. Ffycin basdad!'

O uffarn! Beth sy ar hon 'to?

'Be sy, cariad?'

'Beth sy? Beth ffycin sy? Wil! Dy wrthwynebwr-ffrind. Wil! 'Na beth sy!'

'Pam?'

'Pam? Cachwr! 'Na beth yw e! BLYDI CACHWR!'

'Beth ddiawl mae e 'di 'neud 'to?'

'Dim ond ceisio gwthio'i law o dan fy sgert! Yn y traffig! Wrth ryw oleuadau!'

'O? 'Na i gyd?'

'Dyna i gyd? Dyna'r cyfan sydd gen ti i'w ddweud? Y basdad!'

'Ddylen i fod 'di dishgwl 'na 'da Wil. Ma'n ddrwg 'da fi. Ddylen i ddim fod wedi gadel i ti fynd ag e.'

'Rhy hwyr nawr! . . . O, Tom! Beth sydd wedi digwydd i ni?'

'Dwy i ddim yn gwbod.'

'Roeddwn i mor hapus i gwrdd â thi bythefnos yn ôl. Ond ma' pethe'n graddol fynd o chwith ers hynny.'

'Rwy'n gwbod. Ond wn i ddim beth i 'neud.'

'Wel, y peth cyntaf alla i wneud i ti yw helpu i'th sychu. Dere . . . Gwranda arna i, a defnyddio'th arddull dithau o siarad . . . Tyrd, gad i mi dy lapio'n y lliain mawr gwlanog.' Gwên yn lledu dros ei hwyneb wrth iddi gymryd at ei thasg yn chwareus . . .

Deirawr yn ddiweddarach, deffrôdd Tom yng nghof-laid gariadus Anna. Yn llwyr fodlon ar ei fyd a'i fywyd

unwaith eto. Trwy flynyddoedd o briodas, anaml y prof-
odd y pleser o gadoediad serchol, rhamantaidd, rhywiol
ym mreichiau Wendy. Ym mreichiau Anna, fodd byn-
nag, trydanwyd ei gorff dro ar ôl tro, nos ar ôl nos i ad-
newyddu ei ysbryd. Roedd fel petai ei ffroenau'n anadlu
bywyd newydd i'w ysgyfaint i roi nerth i'w galon. Ei
breichiau'n ei wasgu fel megin, i'w chwythu'n llawn, fel
pwmp. Yn yr hanner goleuni, rhwygwyd y sŵn undonog
yn y cefndir o gyfeiriad y draffordd gan ambell drên yn
rhuthro yn ôl ac ymlaen o ganol Llundain fyglyd. 'Hapus
fyd. Hapus fyd,' sibrydodd Tom wrtho'i hun o dan ei
wynt. Cyn syrthio'n ôl i gwsg teilwng yn llawn o
freuddwydion am weithredoedd byseddol, tafodol,
bronnog, tethog, blewog, gwefusol, cedorol, rhywiol
Anna . . .

Pennod 7

Wrth geisio canolbwyntio ar yr hyn oedd yn digwydd o'i gwmpas yn y llys, anodd oedd atal ei feddwl rhag crwydro i faes awyr Gatwick. Am hanner awr wedi deuddeg, byddai Anna'n ehedeg allan yn llwyr o'i fywyd. Am byth? Pwy a ŵyr? Pennod wedi gorffen. Pennod arall, newydd, ar fin cychwyn. Gwell gan y ddau fu osgoi ffarwél trist, dagreuol yng Ngatwick. Felly, aeth Tom i lys ynadon lleol i ddilyn ei ddyddiadur. Ffarwél ar frys y tu allan i'r fflat am wyth o'r gloch y bore. Yr unig rai yn eu dagrau oedd Olwen a Mary. Y ddwy wedi llwyr fodloni ar eu 'llysfam dros-dro' – ymadrodd Mary.

Câi Tom a'r merched ddigon o gyfle, wrth eu pwysau, i ddwyn i gof wythnos bleserus, fwy neu lai fel teulu cyflawn. Tad yn mynd a dod i'w waith. Darpar fam garedig a hawddgar yn gwmni i'r plant drwy'r dydd. Y fflat wedi'i gymoni. A phryd bwyd teuluol gyda'r nos. Bob nos. Am wythnos gyfan. Cartref. Cartref i Tom am y tro cyntaf er yr ysgariad. Bywyd teuluol fel y bywyd roedd Olwen a Mary wedi ymgyfarwyddo ag ef gyda Wendy a Raymond. Ond, nawr, gydag Anna a Tom. Heb fawr o gweryl. Dim ond hapusrwydd llethol. Bob nos. A phob bore. Am wythnos gyfan.

Ond mae hi wedi mynd, bellach. Rwy'n deulu un rhiant unwaith eto. Sut y galla i gadw dwy ferch yn eu harddegau yn hapus am ddeg diwrnod arall? Tan i'w mam ddychwelyd o'i gwyliau heulog. O leia, byddent yn aros yn eu gwelyau tan hanner dydd. A'r ddwy'n ddarllenwyr brwd.

Cawsai brawf sicr o hynny wythnos yn ôl. Canlyniadau gwych arholiadau Olwen. A'i lle, erbyn hyn, wedi ei gadarnhau i fynd i'r brifysgol yn Aberystwyth. I ddarllen Saesneg. Mynd i Gymru i astudio Saesneg! Cydwybod Tom yn cael ei phrocio unwaith eto. Am iddo fethu gwarchod Cymreictod ei blant?

'Mr Richards. Oes gennych chi rywbeth arall i'w ofyn?' – yr ynad cyflog yn ei blycio'n ôl i ffurfioldeb y llys.

'Nac oes, syr.' Blydi 'el, meddyliodd Tom, gallwn fod wedi rhoi tro arall ar ddinistrio tystiolaeth y plismon. Ond na, gwyddai Tom yn berffaith iawn fod Michael Goldberg yn euog o dorri i mewn i siop groser leol. Gwyddai'r hen Mr a Mrs Goldberg yn seddau'r cyhoedd fod eu huniganedig fab yn euog hefyd. Roedd ôl ei fysedd ym mhobman! Doedd y ffaith ei fod yn un o gwsmeriaid mwyaf ffyddlon Moishe Cohen a'i Fab ddim yn mynd i'w gynorthwyo o gwbl.

Rhyfeddod i Tom oedd i'r teulu Goldberg ddod â'u gwaith ato. Digon o gyfreithwyr Iddewig yn yr ardal. Ond na, doedd Ruth Goldberg ddim am i neb yn y synagog glywed. Esboniodd Tom y byddai cynrychiolydd o'r papur lleol yno. Ond, i Mrs Goldberg, dim ond un papur oedd yn cyfrif. Y *Jewish Times*! Os gallai gadw'r stori allan o hwnnw, byddai popeth yn iawn.

Michael yn ugain oed ond yn ymddwyn fel plentyn chwe blwydd. Nid arno ef oedd y bai. Mam orfeddiannol, Iddewig. Deirgwaith gwaeth na Mrs Richards. Ymhell dros ei thrigain oed. Felly'n agos at ei hanner cant pan anwyd Michael. Wedi rhoi'r gore i obeithio am blentyn efalle. Wedyn yn ei oramddiffyn. Gwrthod rhoi caniatâd iddo chwarae rygbi, pêl-droed, pêl-fasged ac ati'n yr ysgol. 'Am ei fod yn rhy ddelicet.' Beth? Ac yntau'n chwe throedfedd o daldra? A thuag ugain stôn o bwysau. (Un am bob blwyddyn o'i fywyd? A allai ddal ati i dyfu'n flynyddol?)

Sut y gwyddai Tom gymaint am Michael? Am i'w fam

ymffrostio'n y ffaith ei bod yn ei oramddiffyn. Ei or-guddio rhag realiti'r byd o gwmpas. Yn ei fwydo'n gyson i'w gryfhau rhag heintiau ffiaidd Llundain a'r cyffiniau. Ond wedi esgeuluso meddwl y gŵr ifanc. Ei fowldio i'r ffurf a ddewiswyd gan ei fam. Galwodd Tom heibio i gartref y teulu Goldberg unwaith i weld rhywfaint o gefndir Michael. Posteri o Zubin Mehta a Daniel Baren-boim ar furiau ei ystafell wely.

'Fi ddewisodd nhw iddo, Mr Richards. Dyna ran o ddyletswydd mam, chi'n gweld.'

Ond pam ei fod e'n troi'n lleidr? Bynglwr yn hytrach na byrglar. Bron yn dymuno mynd i garchar. Er mwyn ffoi rhag ei fam. Gwyddai Tom y byddent 'nôl yma ym-hen dau neu dri mis am fod Michael wedi chwalu bron i dair mil o boteli cwrw y tu allan i fragdy. Ei fam wedi pregethu cymaint am ddylanwad drwg diod feddwol. Nes peri iddo arllwys mil a hanner peint o gwrw ar hyd iard y bragdy.

A heddiw? Wedi ei ddal yn llosgi chwe mil a hanner o sigaréts! Pam roedd y llywodraeth mor groenfelyn? Yn rhybuddio am y perygl o smygu. Ond eto ddim yn eu gwahardd? Ateb Michael oedd ei fod yn ei weld ei hun fel Meseia lleol yn Hendon a Golders Green.

'Gwell i ni ofyn am adroddiad seicolegol a chym-deithasol ar eich cleient, Mr Richards. Gallwn ryddhau'ch cleient ar fechnïaeth a hefyd ar amodau cyrffiw o chwech y nos tan saith y bore. Mr Goldberg, mae'n angenrheidiol ein bod yn cael sicrwydd gennych na wnewch chi ddim byd drwg eto. Gan y byddwch ar fechnïaeth ar ôl cael eich dedfrydu'n euog o'r drosedd hon, cewch eich carcharu ar unwaith os cewch eich dal yn troseddu tra'ch bod chi ar y fechnïaeth. Ydi hyn yn glir?'

Wrth iddo gerdded o'r llys i gael gair â Mrs Goldberg (doedd Mr Goldberg byth bron yn agor ei geg), sylwodd Tom fod Rebecca, ei gymdoges Iddewig, yn gadael y seddi cyhoeddus.

'Diolch o waelod calon, Mr Richards. Bydd fy ngŵr a finne'n falch iawn i'ch croesawu i'r tŷ 'co unrhyw bryd, on' fyddwn ni, Karel?'

'Byddwn, Ruth.'

'Mrs Goldberg, mae'n rhaid i chi sylweddoli ein bod yn lwcus iawn nad yw Michael yn y carchar heno. Rwy'n ofni mai dyna sydd yn ei aros yn y pen draw.'

'Ond, Mr Richards, fe fydde hynny mor annheg. Dim ond gweithredu o safbwynt moesegol y bydd Michael yn ei wneud bob amser. Chi'n gwybod hynny. A diolch i'ch cwestiynau chi gynne, mae'r ynadon yn deall hynny hefyd.'

'Ydyn, Mrs Goldberg fach. Ond, yn union fel ma' pethe yng Nghymru, lle cefais i fy ngeni a'm magu, dyw moes ddim yn cyfiawnhau troseddu yn erbyn cyfraith gwlad. Fe fydd pobol ifanc byth a hefyd yn troseddu er mwyn tynnu sylw at achosion cyfiawn. Yng Nghymru ar hyn o bryd mae'r iaith y'm dysgwyd i'w siarad gyntaf o dan orthrwm uffernol gan yr iaith Saesneg. Mae 'na nifer o Gymry ifanc yn troseddu'n gyson dros achos cyfiawn i gadw'r iaith yn fyw. Mae 'na bobol yn ca'l 'u restio'n amal, yn ca'l 'u dirwyo o bryd i'w gilydd, ac ambell un yn ca'l 'i garcharu. Mae arna i ofn fod Michael wedi troseddu'n rhy amal bellach i allu dishgwl osgoi cyfnod o garchar. Mrs Goldberg, rŷm wedi trafod y pwnc yn drwyadl droeon yn ddiweddar. Gan fod Michael wedi ei ga'l yn euog heddi, ma' arna i ofon na allwn ni ddishgwl fawr iawn ond cyfnod o garchar iddo. Mae'n ddrwg iawn 'da fi, ond alla i ddim addo gwell nawr. Mae'n rhaid i chi gyd fel teulu gyfarwyddo â'r ffeithiau, Mrs Goldberg . . . Michael, mae'n flin iawn 'da fi am y bore 'ma, ond mae'n rhaid i ti wynebu'r dyfodol. Cofia ei bod hi'n angenrheidiol i ti gadw yn y tŷ rhwng chwech y nos a saith y bore. Rwy'n deall dy safbwynt moesegol di, ond, fel y d'wedes i wrth dy fam, rwy'n eitha sicr y cei di fis neu ddau neu fwy yn y carchar. Ac rwy i am weud rh'wbeth wrthyt yng nghlyw dy rieni ... Ma' hyn yn anodd iawn i mi ei ddweud, ond ... mae'n rhaid ei ddweud ... Dyw dy rieni ddim yn ifanc iawn mwyach ac ma' 'da fi ofon amdanyn nhw. Mr a Mrs Goldberg, mae'n ddrwg 'da fi am siarad fel hyn yn eich clyw, ond Michael, rwy'n gobeithio na fydd dy drybini 'da'r gyfreth ddim yn dodi dy rieni'n 'u bedd cyn 'u hamser. Ac rwy'n siŵr fod d'ymddygiad a'r holl drafferth 'ma yn achosi gofid mawr iddyn nhw. Cofia, Michael, am dy rieni bob tro cyn gweithredu'n anghyfreithlon.'

'Diolch, Mr Richards.'

'Diolch? Diolch? 'Sdim byd gwell 'da ti i'w 'wneud, Michael? Ma'r gŵr bonheddig 'ma wedi achub dy gig moch di, 'nghrwt i, i ddefnyddio ymadrodd Saesneg, haerllug o an-Iddewig.'

'Allwch chi ddim dibynnu ar hynny, Mrs Goldberg. Mae'n rhaid i chi 'nghredu. Mae'n rhaid i chi ddishgwl y bydd Michael yn y carchar am y rhan fwyaf o'r flwyddyn nesaf.'

'Diolch, Mr Richards.' Michael eto.

Ma'r boi 'ma naill ai'n chwarae'r ffŵl neu ddim yn deall na fydd e'n rhydd ymhen ychydig wythnosau, syn-fyfyriodd Tom. Gallwn dreulio'r diwrnod cyfan yn mynd mewn cylch ar yr un trywydd. Mae 'na waith i'w wneud yn y swyddfa ac mae 'na ddwy ferch ifanc i'w bwydo heno.

'Esgusodwch fi, ond mae'n rhaid i mi fynd 'nôl i'r swyddfa. Cofia, Michael, beth 'wedes i, er mwyn dy rieni.'

'Diolch, Mr Richards.'

'Diolch, Mr Richards.'

'Diolch, Mr Richards.'

Dihangodd Tom ar frys oddi wrth eco dynol y gwŷr ym mywyd arweiniol Mrs Goldberg.

Hanner awr wedi un ar ddeg. Awr arall cyn i Anna ffoi

o Brydain fach (ei hymadrodd hithau, fel rhyw froliwr o Tecsas). Dau funud ar ôl gadael y llys a cherdded i lawr stryd fawr Golders Green daeth syched aruthrol i wddf Tom. Na, nid diod feddwol fel cwrw oedd ei angen arno ond rhywbeth fel sudd oren i dorri'r syched. Er bod ei swyddfa yn un o fwrdeistrefi eraill Llundain, roedd Tom yn hen gyfarwydd â thai bwyta di-rif gogledd y ddinas ers amser. Tyfodd yn arbenigwr ar gorlannau coffi a siopau cacenni'r ardal yn ôl ei flas at bethau melys.

Trodd ei gam prysur i gyfeiriad canolfan siopa fwyaf moethus yr ardal. Wrth fynd trwy'r cyntedd, arafodd i edrych ar y ffenestri'n llawn o ddillad crand, benywaidd. Dros nifer o eiliadau, teimlodd y dagrau'n crynhoi wrth feddwl unwaith eto am Anna. Pan gyrhaeddodd ffenest siop yn llawn o beisiau, nicers ac o fras, gwyddai yn bendant mai atyniad at ei chorff yn unig a'i denodd i dreulio cymaint o amser yng nghwmni Anna. Parodd y modelau hanner noeth, yn eu dillad bregus, awgrymog iddo gael codiad anferth eto. Cyn lleied o reolaeth oedd ganddo ar ei gorff bellach.

Roedd arno awydd cnychu. Ond cnychu pwy? Ac Anna wedi dychwelyd i'w chartref, rhaid iddo yntau ddychwelyd i fywyd o anghydweddiaeth. Pam? Ie, pam? Pan oedd yn briod â Wendy, bu'n hawdd cael gafael ar bartneriaid i'w cnychu, dros dro o leia, heb ymyrryd ar batrwm ei fywyd priodasol. Heb gwlwm priodasol i'w gyfyngu, gwyddai nawr y gallai ymosod (yn y modd mwyaf pleserus posib) ar boblogaeth fenywaidd Llundain, Cymru, Ffrainc ac unrhyw ardal yn y byd, o ran hynny.

A'r ystyriaeth siofinistaidd hon ar ei feddwl, cerddodd i'r neuadd fwyta yng nghanol y ganolfan siopa. Roedd 'na nifer o fyrddau a chadeiriau o gwmpas i roi cyfle i gwsmeriaid y *café* fwyta a gweld y byd yn mynd heibio. Y byd? Wel, y byd dosbarth canol, cyfforddus, Iddewig a benywaidd oedd ag amser ar eu dwylo tra oedd eu dynion yn ennill crystyn.

Syfrdanwyd Tom (ond o ailystyried, gwyddai nad oedd y peth yn rhyfeddod ynddo'i hunan) wrth weld Rebecca, ei gymdoges, yn eistedd ar ei phen ei hunan wrth fwrdd yng nghanol y neuadd fwyta. Paned unig wrth ei phenelin. Yn ôl yr egwyddor ysgol breswyl, ddosbarth canol y'i trwythwyd ynddi, rhaid oedd i Tom fynd draw ati a chynnig paned arall o goffi iddi.

Roedd ei hymateb yn fwy addawol fyth nag y gallai Tom fod wedi ei ddychmygu.

'Bydde paned arall wrth 'y modd, Tom. Ac ychydig o funudau yn eich cwmni yn fy moddhau yn fwy o lawer.' Gwên lydan yn dadorchuddio set o'r dannedd gwynnaf a welsai Tom erioed. Er iddo weld Rebecca o bryd i'w gilydd yng nghyntedd y fflatiau, doedd e heb sylwi ar y dannedd hyfryd hyn erioed o'r blaen. Nawr, fodd bynnag, carlamodd ei waed trwy ei wythiennau.

Cymaint oedd y cyffro a'r wefr, fel iddo anghofio, wrth sefyll wrth y cownter i dalu, fod trwyn Rebecca'n un o'r rhai mwyaf Dwyrain-Canolaidd a welsai erioed. Y dyb yw mai trwynau'r Iddewon, bellach, yw'r rhai mwyaf camog. Gwyddai Tom yn amgenach, fodd bynnag. Ar ôl ymgartrefu yn Llundain a'r cyffiniau, cyfarwyddodd â thrwynau Arabaidd, crymanog, di-rif. Teimlai fod y sbri a wnaed am drwynau'r Iddewon yn hollol annheg.

Wrth gario'r hambwrdd yn sigledig yn ôl at fwrdd Rebecca, lle gadawodd ei daclau gwaith ddwy funud yn ôl, teimlai fel gŵr estron yng nghanol y cwsmeriaid benywaidd, Iddewig a moethus yn eistedd wrth y byrddau. Gwisgai pob un, yn ddieithriad, wisg gyfforddus, ddrud, luniaidd a lliwgar a oedd yn hollol addas at yr achlysur. Er gwaethaf ei gefndir Cymreig, glofaol, ymgartrefodd Tom ers tro byd ym mywyd moethus yr Iddewon gweithgar o'i gwmpas. Tybiodd droeon mai diffyg gweledigaeth ei gyd-Gymry a barodd iddynt ddal ati i watwar Iddewon y byd.

Gallai Tom gyfrif ffrindiau Iddewig ym Mharis a'r cyffiniau, yn arbennig yn ardaloedd y Marais a Montrouge. Bu droeon, cyn ei briodas, ar wyliau ym mhrifddinas Ffrainc. Ei fwriad, y tro cyntaf, oedd mynd ar daith o fis ar hyd a lled Ewrop. Bodiodd ei ffordd o Boulogne i Baris mewn hanner diwrnod. Treuliodd ei haf yn y ddinas hudol honno a dychwelodd drosodd a thro.

Yn ôl ei arfer yn y dyddiau ysgafn, hafaidd hynny, merch oedd y tu cefn i bopeth. Mewn pwll nofio. Ei fwriad ar ei daith y tro cyntaf hwnnw oedd defnyddio pyllau nofio i gael ei ymarfer corff dyddiol, i gadw'n lân trwy gymryd cawod ddyddiol a chael tipyn o gwsg a thorheulo pan ddôi'r cyfle.

Am chwech o'r gloch, ar ei brynhawn cyntaf ym Mharis, syrthiodd i gysgu ar y lawnt o gwmpas y pwll nofio yn Rue des Bagneux ym Montrouge, o fewn pum munud i orsaf Metro'r Porte d'Orléans.

Deffrôdd awr yn hwyrach, wrth i gysgodion yr adeiladau daflu gwregys oer o gwmpas ei goesau. Sylweddolodd ar unwaith fod y ferch wrth ei ymyl, dim ond rhyw lathen i ffwrdd, yn craffu ar y llyfr oedd ganddo i'w ddifyrru. Nid darllen, yn amlwg. Edrychai'r ferch ar frys o dudalen i dudalen heb fawr o gyfle i ddeall yr hyn a welai. Pan sylweddolodd hithau yn ei thro ei fod wedi deffro, ymddiheurodd ar unwaith: 'Je suis très désolée, mais . . .'

Popeth yn iawn, w. Cewch ddarllen cyhyd ag y mynnwch. Rywbryd. Rywle. Rywfodd. Rywsut. Rhyw. Diferai apêl rywiol o'i gwên a'i gwedd. Geneth dal. Tipyn yn dalach na Tom. Wyneb lluniaidd a chorff deniadol. Ond yn anhygoel o dal. Dros chwe throedfedd yn nhyb Tom. A thrwyn crymanog yn torri ar draws y cyfan. Hyd yn oed i'w feddwl dibrofiad: Iddewes. I'r carn.

Rhyfeddu wrth weld iaith newydd roedd hi. Nid darllen. Dim ond gweld llythrennau ar bapur. Dim hyd yn oed eiriau. Fel rhywun yn edrych ar linellau paent ar gynfas. Heb allu gweld y llun yn ei gyfanrwydd.

Cofiai Tom nawr am y sgwrs fratiog, hanner-Ffrangeg, hanner-Saesneg wrth iddo esbonio iddi am yr iaith Gymraeg. Ymhen ychydig funudau, teimlai'r ddau oerni'r noswyl yn peri iddynt grynu yn eu gwisgoedd nofio. Hyn, wrth gwrs, cyn i dorheulwragedd y Cyfandir fodloni ar ddadorchuddio bronnau sigledig. Gwahoddiad ar frys am baned mewn bar neu gaffi lleol.

Myfyrwraig yn y Sorbonne oedd Marie-Josephine, neu Marie-Jo yn ôl ei dymuniad. Yn aros ym Mharis dros ei gwyliau haf. Yn hytrach na mynd adref at ei theulu yn Lyons. At deulu cul, Iddewig. Gwell ganddi haf unig yn y brifddinas. Beth am gariad? 'Cariad? A finnau mor ffycin dal? A'r ffycin trwyn crymanog, hyll yma? Pawb yn y Brifysgol yn chwerthin am 'y mhen i.'

Ond dŷch chi ddim yn hyll. Ddim o gwbl. Yn ddeniadol iawn, os ŷch chi am wybod y gwir. 'Beth? Pwy? Fi?' Ie. Chi. Cydiodd hi'n ei law i ddiolch am ei ganmoliaeth. Rhywbeth nas haeddai o gwbl. Dal i gydio yn nwylo'i gilydd. Beth am bryd o fwyd? 'Mae gen i ddigon i'r ddau ohonom yn yr *appartement* rownd y gornel.' Cerddodd law yn llaw i'w hystafell. Chwerthin. Sgwrsio. Chwerthin. Siarad. Chwerthin. Mwy o siarad. Mwy o chwerthin. Un gusan fach yn y stryd wrth iddi chwilio am ei hallwedd yn ei bag. O fewn eiliadau ar ôl cyrraedd ei hystafell, safai'r ddau yn hanner noeth a bwndel o ddillad ar y llawr. Rhyfeddod i Tom oedd gorfod estyn i fyny i'w chusanu. A theimlo'i ffordd o gwmpas ei chorff.

Hithau'n ei arwain i'w gwely hir, cul. Arbrofi rhywiol di-dor, di-fwyd dros nos. Dau berson ifanc yn dilyn ffasiwn y chwedegau. Symudodd Tom ei bac taith pan-Ewropeaidd i'w hystafell drannoeth. Wythnos gyfan o gnychu, llyo, cnychu eto, a mastyrbeiddio'i gilydd bob cyfle. Heb wisgo'r un dilledyn am dridiau. Gorfod mynd allan wedyn i wneud rhywfaint o siopa. Yna, ailgydio yn y cnychu a'r mastyrbeiddio.

Dyna fu'r patrwm di-dor am ddeufis cyfan o wyliau pleserus a rhywiol. Marie-Jo am brofi melyster ei gala ar bob achlysur, ym mhob sefyllfa bosib ac ym mhob cwt a chornel o'i chartref. Arbrofi dewr hefyd wrth gnychu neu deimlo'u cyrff yn y mannau mwyaf annhebyg: mewn amgueddfeydd tawel, bron ym mhob parc ym Mharis, a strydoedd cul y ddinas, yn y sinema ac, yn hollol ddi-barch a digywilydd, yn hen fynwent Père Lachaîse.

Ar y dechrau, diolchai Marie-Jo i Tom ar bob achlysur am ei fodlonrwydd i garu rhywun '. . . . mor uffernol o dal, mor uffernol o hyll ac mor uffernol o Iddewig.' Perswadiodd Tom hi i wenu arno o bryd i'w gilydd trwy gyffesu ei fod '. . . . mor uffernol o fyr, mor uffernol o olygus ac mor uffernol o . . . Gymreig!'

Gwyddai'r ddau mai cyfathrach dros dro, ar wyliau yn unig, oedd eu perthynas. Byddai'n rhaid i Tom ddychwelyd at ei astudiaethau cyfraith yn Aberystwyth. A Marie-Jo yn aros yn y Sorbonne ar gyfer ei hastudiaethau Ffrengig. Addewidion ar ddechrau mis Medi i gadw mewn cyswllt ac i gwrdd dros y Nadolig.

'Nôl yng Nghymru, cwrdd â merch o Swydd Gaerhirfryn ar ei blwyddyn gyntaf yn yr adran. Hithau o gefndir ffroenuchel. Yn ferch i feddygon ac wedi ei ffrwyno'n emosiynol gan gulni ei rhieni a'i lleianod yn ei hysgol breswyl. Yn ymfalchïo'n y ffaith nad oedd, bellach, am wisgo dillad o nos Wener tan fore Llun. Digon hawdd oedd esbonio i weddill yr hogia'n y tŷ amdani wrth iddi dreulio pob penwythnos yn ei ystafell. Anghofio ar frys, felly, am Marie-Jo â'i thrwyn crymanog . . .

Tan heddiw. Wrth edrych ar wedd a gwên Rebecca ar draws y bwrdd, synfyfyriodd Tom ynghylch ei brofiad rhywiol cyntaf gydag Iddewes. Tybed sut bleser fyddai cnychu Rebecca? Roedd ei sgwrs yn ddigon pleserus ond ar lefel ddigon bydol. Y tywydd braf. Y plant. Gwaith.

Llundain yn llawn o dwristiaid. Llai o drafnidiaeth leol tra oedd y plant ar wyliau ysgol.

'Rŷch chi'n ffodus iawn, Rebecca. I gael diwrnod yn rhydd o'ch gwaith heddi.'

'Ydw, Tom. Ac rwy'n falch iawn 'mod i'n gallu'i fwynhau yn llwyr. Mae cwrdd â chi fan hyn yn hufen ar y cyfan.'

'O, dewch 'mla'n. P'idwch â'm seboni'n ormodol. Mae'n siŵr gen i fod 'na ddegau o ddynion ifanc yn aros eu cyfle i rannu bwrdd â chi mewn corlan goffi.'

'Wel, does 'na neb wedi ffurfio llinell y tu allan i'r fflat hyd yn hyn. Ond . . . rwy'n dal i obeithio.'

Gwên gysurus, ond eto'n awgrymog, yn lledu ar draws ei hwyneb tywyll. 'Sgwn i, meddyliodd Tom, a feiddiai ofyn iddi fynd i'r theatr, neu i rywle, gydag ef.

Doedd 'na ddim brys ar Rebecca. Siaradai'n hamddenol gan fwynhau ei gwmni. Chwerthin yn ddireidus gydag ef. Nid am ei ben. Fel yr arferai Wendy wneud.

Digwyddodd Tom sibrwd rhywbeth di-nod, digrif yng nghanol clebran dibwys.

'O! Tom! Rŷch chi'n gymeriad hyfryd i dreulio awr fach yn ei gwmni.' Cydiodd yn un o'i ddwylo a gwasgu ei fysedd yn dyner.

'Rŷch chi wedi taenu pelydrau o heulwen dros fy mywyd bach diflas i.' Gwasgodd hi ei fysedd am yr eildro. 'Rhaid i ni gael swper 'da'n gilydd rywbryd.' Agorodd Tom ei lygaid mewn syndod. 'Beth am heno? Rwyf ar fy mhen fy hunan.' Heno? Heno? Beth am y plant?

'Ma' arna i ofon fod 'y mhlant, Olwen a Mary, yn aros 'da fi ar hyn o bryd.'

'Dim trafferth! Gallwn gael pryd o fwyd gyda'n gilydd. Yn deulu bach dedwydd.'

O, uffarn! Beth fydd ymateb y plant i hyn? O un teulu i deulu arall mewn hanner diwrnod. Pa wahaniaeth? Does dim rhaid i mi fyw fel mynach am byth bythoedd, Amen. A dyw'r plant ddim mor ddiniwed â hynny. Ma' nhw'n gwybod fy mod wedi bod yn cysgu gydag Anna. A'i bloeddio orgasmaidd nosweithiol hithau'n siŵr o fod wedi tarfu ar gwsg y merched unwaith neu ddwy, o leiaf.

'Pam lai? Fe fyddai swper 'da chi'n syniad hyfryd. Ond d'wedwch wrtho' i. Beth oeddech chi'n ei wneud yn y llys y bore 'ma? Dwy i ddim yn cofio'ch gweld chi 'na o'r bla'n.'

'Naddo? Rwy wedi'ch gweld yn perfformio yno ddwywaith neu dair o'r blaen, yn bendant.'

'Do? Pam?'

'Diddordeb proffesiynol, gallech ddweud.'

'Dŷch chi ddim yn gyfreithwraig . . . yn ohebydd i ryw bapur lleol ne' rwbeth tebyg?'

'Na. Ddim o gwbl. Ond . . . wel, byddai'n well gen i anghofio am waith – eich gwaith – am y tro. Gwrandewch. Mae'r prynhawn i gyd yn rhydd gen i. Ydych chi'n cymryd awr ginio? Beth am ddod am dro i fyny i Hampstead? I'r grug i fwynhau'r heulwen?'

Llwyddodd Tom i anghofio am y pentwr o waith papur ar ei ddesg 'nôl yn y swyddfa. Wedi'r cyfan, doedd ganddo'r un apwyntiad tan bedwar o'r gloch. Fel arfer. Cleientiaid yn galw heibio ar eu ffordd adre o'r gwaith. Yntau'n gorfod gweithio'n hwyr. Roedd ganddo'r hawl i gymryd awren ginio hamddenol nawr ac yn y man.

Ymhen chwarter awr, roedd Tom a Rebecca'n troedio ar un o lwybrau bryniog y rhostir yn Hampstead. Herciodd Rebecca ar y borfa wrth dynnu ei hesgidiau sodlau uchel. Ar ddiwrnod mor braf o heulwen haf, llwyddodd i wisgo dillad digon ffurfiol ar gyfer y llys ac eto'n ddigon hamddenol i'w gwisgo yn y parc. Gwisg flodeuog yn llawn o wyrdd, coch a phinc. Yn wylaidd o hir yn ymestyn rhwng ei phen-glin a'i ffêr. Y breichiau fel adenydd ystlum hyd at ei phenelin. Ni fyddai lliwiau blodeuog y wisg ond yn rhyw nam bychan ar y ddelwedd o fargyfreithwraig ar ei hawr ginio'n hamddena o'r llys neu'r siambr.

Wrth gerdded ar gyfyl y llwybrau, sylwodd Tom ar nifer o bobl ifanc yn torheulo hwnt ac yma ar y borfa. Y rhan fwyaf ohonynt wedi dadwisgo i'w gwisg nofio neu i'w dillad isaf, gymaint oedd grym y gwres. Crwydrai'i lygaid yn reddfol at yr erwau o gnawd yn pupuro'r porfeydd. Roedd sgwrsio am ddim byd arbennig o bwys gyda Rebecca yn atyniad ynddo'i hunan, ond eto . . . atyniad ei chnawd yn ei ddenu i gyfeiriad meddyliol gwahanol.

'Tom, mae gweld pobl yn gorwedd yn yr haul wedi codi awch arna i i 'neud 'run peth. Beth amdanoch chi?'

Ma' hi 'di darllen 'y meddwl i, meddyliodd Tom. 'Pam lai?' oedd ei ateb swta a chwta.

Braidd y gallai, fodd bynnag, gwtogi ei gyffro wrth sylweddoli y câi gyfle i weld tipyn o gnawd noeth Rebecca.

Yn ôl ei arfer bellach, estynnodd ei gala mewn codiad nerthol, caled rhwng ei goesau. Y gofid nawr oedd sut y gallai dynnu'i drowsus oddi amdano heb dynnu sylw torheulwyr diniwed Hampstead. Neu, o leiaf,·lygaid cyhuddgar Rebecca. Cyhuddgar? Pam? Gwyddai Tom bellach fod y rhan fwya o ferched yn ymfalchïo yn eu gallu i greu'r fath gyffro mewn dyn. Bron yn ganmoliaeth iddynt. Yn hapus eu bod yn dal i fod yn atyniad i ddynion.

'Dyma ni, 'ma lecyn cymharol dawel. Beth ŷch chi'n feddwl, Tom? O leia does 'na neb yn cicio pêl-droed o gwmpas.'

'Ym . . . iawn, Rebecca . . . Iawn . . . Lle bynnag sy'n iawn i chi.'

'Reit 'te. Allwch chi'm helpu 'da'r botymau ar fy nghefn?'

'Ym . . . O, wrth gwrs . . . Ym.'

'Ie?'

'Dim byd.'

'O?'

Wrth ddatod pedwar botwm, crynai bysedd Tom yn hollol afreolus. Ar ôl iddo orffen ei orchwyl, trodd Rebecca i'w wynebu â gwên mor llawn o heulwen â'r haul ei hun. Treiddiodd ei llygaid yn chwerthinllyd i lygaid Tom. Am y tro cyntaf ers iddo'i chwrdd yn y gorlan goffi, roedd yn rhaid iddo edrych yn syth i'w llygaid. Amhosib eu hosgoi. Llygaid llwyd â chymysgedd o frown o dan aeliau hir. Chwifiwyd yr aeliau ar frys arno fel petaent yn wincio. Sylweddolodd Tom ei fod yn gwenu'n ddwl ar ei gydymaith. Daliai i synnu ei fod yn y sefyllfa hon dim ond oriau ar ôl rhannu gwely gydag Anna.

'Gwell i ni eistedd cyn tynnu mwy o ddillad i ffwrdd. Ddylen ni ddim tynnu gormod o sylw atom ein hunain.'

'Ie, sbo.'

Eisteddodd y ddau ar y borfa felyn. Tom yn llipa, bron yn ddiymadferth. Rebecca'n symud yn ystwyth, yn llawn hyder. Yn llawn bywyd. Ar ben ei digon. Fel petai torheulo'n hanner noeth ar rostir Hampstead yn un o'r pethau mwyaf naturiol yn y byd iddi ei wneud. Yng nghwmni dyn hanner dieithr. Ond eto'n rhywun cyfarwydd. Dyn a oedd bellach yn hanner noeth hefyd. Penderfynodd Tom ei bod hi'n angenrheidiol iddo blygu'i siwt waith yn ofalus. Y siwt las tywyll ac iddi streipiau gwyn. Ei siwt lys. Ei siwt gyfeiliorni rhywiol? Ymhen dim, eisteddai'n hollol hunanymwybodol mewn pâr o focsers gwyrdd o sidan pur. Anrheg o ddiolch gan Anna. Yntau'n eu gwisgo heddiw ar ei hanogaeth hithau. I ffarwelio â hi'r bore 'ma! Ond Rebecca nawr yn manteisio arnynt.

'Rhywbeth o safon, Tom, on'd oes e, mewn sidan pur. Ma'n rhaid i chi gytuno.' Ei llaw dde'n ymestyn at ei glun i gyffwrdd â'r deunydd llyfn.

'Fyddwn i byth wedi meddwl am liw gwyrdd tywyll tebyg i hwn, fodd bynnag.' Gadawodd Rebecca ei llaw'n ei hunfan ar y defnydd.

'Rwy'n tueddu i feddwl am sidan fel lliw golau, fel yr

hufen 'ma.' Esmwythodd ei llaw chwith yn wahoddol ar draws ei bron dde. Gwenodd wên ddireidus ar Tom.

'Be sy? Ofn cymharu llyfnder y deunydd? Tom, rwyf am i chi gyffwrdd fy mronnau.'

Beth? Glywais i'n iawn?

'Tom, ma'r tywydd braf ma'n fy nghynhyrfu.'

Cydiodd yn un o'i ddwylo a'i gwasgu at un fron. Er nad oedd ganddo fawr i'w ddweud, cynhyrfwyd Tom yn ddigon fel bod arno eisiau gwasgu'r ddwyfron yn eu sachau llyfn. Hoffai'r patrwm addurnwe ar ran ucha gwrthrych ei sylw ymchwiliol.

' 'Na fe, Tom. Gwasgwch fy nheth. O! Ie! 'Na fe! Dewch 'ma!'

Llithrodd un o'i breichiau o gwmpas ei wddf i dynnu'i wyneb i'w chyfeiriad. Wrth i'w wefusau gyffwrdd â hi, teimlodd ei cheg yn lledagor a'i thafod yn gwthio'i ddannedd i'r naill ochr. Gwibiai ei thafod ar hyd a lled ei geg fel rhyw neidr wyllt.

'O! Tom! Rwy am i chi 'nghnychu! Nawr! Fan hyn os gallwn ni! Siwrne 'mod i'n teimlo'r awch i gnychu, ma'n rhaid i mi 'neud ne' mi fydda i'n mynd yn hollol wallgo.'

Amhosib! Byth yn 'i holl freuddwydion erotig y gallai Tom fod wedi dychmygu'r fath ddigwyddiad. Y fath wahoddiad! Y fath her! Beth bynnag fu ei brofiad dros y diwrnodau diwetha, bachgen o gefn gwlad piwritanaidd Cymru oedd Tom. Nid rhyw hwrdd cocwyllt y clywodd gymaint amdanynt yn y cylchgronau ar silffoedd uchaf y siop bapur. Perthynai'r math yma o ymddygiad i'w ieuenctid. I genhedlaeth arall. Nid i fywyd parchus cyfreithiwr canol oed yn gofidio am ei ddwy ferch yn eu harddegau. Ond . . . ie, ond . . . wel, roedd Rebecca'n dangos nerth ei hawch i'w gnychu trwy dynnu'n gryfgyfforddus ar ei gala. A throelli'r pen! Dim ond un person wnaeth hyn iddo erioed o'r blaen! Dros bymtheg mlynedd ar hugain yn ôl. Bu ei dad, prifathro ysgol y pentre, yn gyfeillgar â phob gweinidog a fu erioed yn gweini dros gapeli Abermorlais. Pan oedd Tom tuag wyth oed, treuliodd ddiwrnodau (a nosweithiau!) yng nghwmni Heulwen, unig ferch gweinidog y Bedyddwyr yn y pentre ar y pryd. A hi'n ddeng mis yn hŷn nag yntau. Pa bryd neu pam? Allai Tom ddim cofio bellach. Ond am ryw reswm neu'i gilydd, rywbryd neu'i gilydd, dechreuodd Heulwen a Tom fastyrbeiddio'i gilydd. Heb unrhyw wir wybodaeth nac ystyriaeth o'r hyn roeddynt yn ei wneud. Heb unrhyw ymarfer. Felly, troelli pen ei gala oedd *forte* Heulwen. Pleser heb ei ail. Hyd yn oed i blentyn wyth oed. Dangosodd hithau'n ei thro'r ffordd iddo dylino gwefusau ei chedor. Deallodd flynyddoedd wedyn mai tylino'i chlitoris a wnâi – rhwng y gwefusau chwydd.

A dyma ailbrofi'r troelli pleserus! Ochneidiodd yn llawer rhy gloduchel ond llwyddodd i edrych i berfeddion llygaid Rebecca. Gwenodd hithau'n wybodus arno. Heb golli'r curiad â'i llaw. Yn syth gwyddai Tom y byddai'r hufen gwyn ar ei llaw ymhen dim os na wnâi rywbeth ar fyrder. Fel rhyw godymwr cryf, llwyddodd i bwyso ar gorff meddal Rebecca nes iddi orwedd 'nôl ar ei chefn. Lledaenodd ei choesau brown, hir i'w dderbyn. Yn ddidrafferth, rhyddhaodd ei godiad o'r sidan a'i gyfeirio at yr hollt rhwng y coesau derbyniol.

'Peidiwch â thynnu'r nicers oddi arnaf, Tom! Tynnwch nhw i'r naill ochr!'

Ufuddhaodd Tom ei feistres rywiol newydd. Anodd oedd osgoi rhag llusgo blewyn du neu ddau gyda'r defnydd. Ond, ar ôl ymdrech fer, cyflawnodd yr orchest. Estynnodd Rebecca ei dwylo rhwng ei goesai i afael unwaith eto'n 'i gala haearn. Rhwbiodd y pen ar hyd ei chedor gwlyb. Crynodd ei chorff wrth iddi wahanu'r gwefusau o gwmpas ei chlitoris.

Edrychodd Tom yn syn ar wyneb hapus Rebecca. Lled agorodd hithau ei llygaid i rythu arno. Yn sydyn, ataliwyd y rhwbio a sugnwyd ei gala i mewn rhwng y blew a'r gwefusau. Tynnwyd pob anadl o'i ysgyfaint wrth i ryfeddod y weithred rywiol ei feddiannu'n llwyr.

'Rwy *mor* hapus wrth weld y rhyfeddod ar wyneb dyn wrth iddo 'nghnychu!'

'Rhyfeddu? . . . Y? . . . Does 'na'r un ferch wedi'm rhyfeddu gymaint â hyn!'

'Paid â siarad nonsens! . . . Rwy wedi cael ar ddeall mai ymadrodd mawr dynion yw fod rhai ohonom ni ferched yn sgrechen amdano fe. Wel . . . 'tawn i ddim mewn man hanner cyhoeddus fel hyn . . . fe fyddwn inne'n sgrechen amdano fe.' Sibrydodd: 'Cnycha fi'n galed!'

Unwaith eto, ufuddhaodd Tom ei gorchymyn grymus. Gwthiodd ei gala'n nerthol i'w chedor. Roedd ei gwlypter yn wahanol i wlypter Anna. Yn amlwg, gwirionedd yn wir yw'r hen ymadrodd fod merched yn sgrechen am gael eu cnychu. Ar eu telerau nhw eu hunain. Heb unrhyw argoel o drais na gorthrwm. A rhywfaint o gariad ynghlwm wrth y weithred gorfforol, amhersonol. Llifodd Rebecca'i chorff 'nôl ac ymlaen oddi tano. Gwthiodd ei phelfis i fyny i gwrdd â chorff Tom. Rhwbio'i chlitoris yn erbyn mannau caled ei gorff. Effaith wefreiddiol arno yntau hefyd. Cyrhaeddodd nod orgasmaidd wrth i'w gala hyrddio i'r cafn llyfn ugain o weithiau. Ugain strôc yn unig? Ebychiad cynamserol, yn bendant y tro hwn. Ond . . . ond oedd, roedd ymdrechion Rebecca wedi bod yn llwyddiant mawr. Â mân ochneidio a ffroenio ffyrnig, collodd hithau reolaeth ar ei chorff. Ceisiodd Tom gadw'n weddol dawel am ei fod mewn llecyn mor gyhoeddus.

'Diolch byth! Rwy o hyd yn gofidio, Tom, y caf drafferth i gael orgasm y tro cyntaf gyda rhywun newydd.'

Gyda rhywun newydd? Sawl un? Sawl un y flwyddyn? Y mis? Yr wythnos? Y dydd? Yr awr? Sawl . . . ? Cnychwraig broffesiynol? Ceisiodd Tom resymoli'r sefyllfa. Cymdoges gymdeithasol gyfeillgar awr yn ôl.

Partneres rywiol, ryfeddol o eiddgar nawr. Hithau'n ei arwain ar y llwybr cyffrous. Ond . . . sawl un newydd gafodd ei arwain ganddi ar hyd glyn cysgod orgasm? Rhyfeddodau di-rif yn llifo drosto ar ddiwrnod a addawai fod yn achlysur diflas tu hwnt. Un o'r rhyfeddodau hynny oedd i neb dorri ar draws y pasiant rhywiol ar rostir Hampstead moethus. Tybed a oedd Rebecca'n brofiadol yn yr union fan a'r lle hwn?

'Rwyt ti'n dipyn o ddirgelwch, Tom. Pwy feddylie y gallet ti 'nghynhyrfu gymaint? Ar gymaint o frys hefyd.'

'Dy gorff dithe 'nghynhyrfodd inne gym'int. Roedd yn rhaid i mi'th gnychu. A'th gnychu'n galed. Yn anifeilaidd.'

Fel o'r blaen, rhyfeddwyd Tom wrth iddo ynganu'r geiriau. Ar ôl oes biwritanaidd yng Nghymru a'i ddiffeithwch, ie, diffeithwch, priodasol, prin y gallai ddeall ei barodrwydd i fod mor frwnt ei dafod.

'Tom, ma' siarad ffiaidd fel 'na'n 'y nhroi i 'mla'n, ti'n gwbod! Hoffwn ga'l dy gala ynof eto cyn hir . . . Ond nid fan hyn. Ma'n lwc yn siŵr o ddiflannu. Tyrd!'

Heb air o brotest nac o gytundeb, ailwisgodd y ddau ar frys. Ymhen dim, roeddynt yn ôl ar y llwybr i gyfeiriad car Tom.

'Ow, ma' dy sbwnc di'n llithro lawr 'y nghoese. Dyle nicers ei ddal i gyd!'

'Sori.'

'Sori? Paid dweud 'na! Rwy i wrth fy modd. Yn cerdded heibio'r holl bobol 'ma. A dim ond y ni sy'n gwybod beth sydd rhwng fy morddwydydd! A *phwy* sydd newydd fod . . . a dod . . . rhwng fy morddwydydd!'

Wrth gyrraedd drws y car, gwyddai Tom yn bendant ei bod o ddifri am iddo'i chnychu eto. Ac ar frys hefyd. Ond ym mhle? Nid yn ei fflat. Nid a'r merched yno. Nac yn fflat Rebecca, chwaith. Am yr un rheswm. Ble, felly? Wrth gwrs! Y swyddfa! Pum munud wedi un. Amser cinio ar ddydd Gwener. Pawb allan yn gwneud eu siopa ar gyfer y penwythnos. Galle Rebecca fod fel unrhyw gleient arall yn galw heibio i'w weld!

'I ble allwn ni fynd, Tom? Gwell peidio â mynd adre os bydd y merched yno. Ddylen nhw ddim gwybod fod eu tad yn cnychu dwy fenyw ar yr un diwrnod!'

'Beth?'

'Beth, wir? Tom, wrth gwrs fy mod wedi sylwi ar eich ffrind o America. Yn wir, cawsom air neu ddau yn y lifft unwaith. A dŷch chi ddim yn mynd i ddweud wrtho' i nad oeddech chi'n ei chnychu? Cofiwch ei bod hi'n haf. A ffenest eich stafell wely ar agor bob nos. Fe glywais dipyn o sŵn pleser oddi yno dros yr wythnos ddiwethaf. Digwyddais gael gair 'da hi ryw dridiau'n ôl a chlywed ei bod hi'n mynd adre heddi.'

'A dyna pam oeddech chi'n y llys y bore 'ma?'

'Wrth gwrs nage. Cyd-ddigwyddiad llwyr. A digwydd bod yn y gorlan goffi 'fyd. Ond do, fe ges i'r syniad o'ch cnychu pan own i 'da chi yno. 'Sdim o le yn hynny oes 'na? Neu, odych chi'n un o'r dynion hynny sy ddim yn fodlon ein bod ni ferched yn arwain y ffordd?

'Wel . . . na . . . ond . . .'

'Ond beth? Rŷm ni newydd gnychu ac rwyf am deimlo'ch cala'n gwthio rhwng fy nghoesau eto cyn bo hir. Nawr! Yn rhywle! Yn unrhyw ffycin lle!'

'Ym . . . Iawn . . . Fydd 'na neb yn y swyddfa am awr arall. Gallwn fod yno mewn llai na chwarter awr. Ond ma' 'na bobol yn dod i 'ngweld am bedwar o'r gloch.'

'Iawn. Rwy yn eich dwylo, Tom. Yn llythrennol . . .'

Wrth iddo yrru mewn gormod o frys 'nôl i'r swyddfa, agorodd Rebecca ei ffenest ac yna datglymodd fotymau gwaelod ei gwisg. Lledodd ei choesau cyn belled â phosib o fewn cyffiniau'r car. Symudodd ei llaw dde'n awgrymog ar hyd ei chlun hyd at y twmpath chwydd o dan ei nicers. Ciledrychodd Tom ar ei bysedd yn symud y tamaid cul o sidan i'r naill ochr. Gwelodd hi'n gwahanu'r blew hir, gloywddu i ddadorchuddio'i gwefusau balch. Llyfnodd ei bysedd ar hyd yr agendor. Sythodd ei chorff wrth iddi deimlo'r pleser yn byrlymu trwyddi. Rywsut, llwyddodd Tom i gadw llygad ar y ffordd. Ni welodd y fath olygfa erioed o'r blaen. Ac wrth yrru'r car trwy strydoedd maestrefol gogledd Llundain hefyd! Beth petai rhywun yn 'u gweld?

Ddeuddeng munud ar ôl gadael Hampstead, gyrrodd Tom i mewn i'w lecyn parcio personol tu ôl i'r swyddfa. Doedd 'na'r un car arall yno. Diolch i'r drefn! Y rhyfeddod mwya iddo nawr oedd gallu Rebecca i ddal at y mastyrbeiddio. Roedd fel petai ar blaned arall. I ffwrdd yn y gofod yn rhywle. Ond wrth i Tom ddiffodd y modur, tynnodd Rebecca'i sgert dros ei choesau unwaith eto a pharatoi i adael y car ar frys. Ni chafodd Tom y cyfle i fod yn ŵr bonheddig. Roedd hi allan ar unwaith.Yn sefyll ar goesau sigledig. Yn pwyso ar do'r car.

'Plîs, Tom. Does 'na ddim pellter i gerdded, oes 'na?'

'Na. Dim ond i'r drws 'co.'

'Gwych! Alla i ddim diodde'r aros lawer mwy!'

Gafaelodd Tom yn ei phenelin a'i harwain at y drws. Llywiodd hi i fyny'r grisiau i'w ystafell. Clodd y drws y tu ôl iddynt. Erbyn iddo droi'n ôl i ganol y swyddfa, gorweddai Rebecca ar ei ddesg a'i choesau ar led i'w groesawu. Symudodd yntau i dynnu'r llenni.

'Na! Paid â'u cau nhw! Rwy am weld dy wyneb wrth i ni gnychu!'

Dechreuodd Tom dynnu siaced ei siwt oddi amdano.

'Na! Rwy am i ti 'nghnychu yn dy ddillad llys! Fel gŵr busnes moethus!'

Clywodd Tom o bryd i'w gilydd fod 'na ferched yn berchen ar Gymhelliad Rhywiol Gwrywol. Y *libido* gwrywaidd yn y BENYWAIDD! A oedd 'na gannoedd yn berchen ar y Cymhelliad? Neu filoedd? Roedd ganddo un cleient o seiciatrydd. Tybed a wyddai hwnnw am broblem Rebecca? Problem? Pa broblem? Doedd yr awydd i gnychu ddim yn broblem i ddynion. Pam, felly, y dylai fod yn broblem i fenyw? I fenyw iach a chanddi'i holl gyneddfau?

Cerddodd Tom at ei ddesg. Cododd sgert Rebecca a'i phlethu fel gwregys am ei chanol. Gwelodd Tom ei blew du, gwlyb trwy sidan ei nicers. Cynhyrfwyd ei lwynau'n ddigon i'w wialen galedu unwaith eto. Agorodd ei drowsus i ollwng ei arf yn rhydd. Gwlychodd Rebecca fysedd ei llaw dde â'i phoer ac estyn i agor gwefusau'r cedor pinc, disglair. Edrychodd Tom yn eiddgar ar fanylion gwrthrych ei awch. Rhwng y plethi cnawdol, gwelodd fotwm o liw porffor. Botwm o ryw chwarter modfedd o hyd. Poerodd ar ei fawd de a chyffwrdd y botwm. Llamodd tin Rebecca oddi ar y ddesg.

'Sori!'

'Paid dweud sori! Dod dy fys 'nôl 'na, w!'

Ufuddhaodd Tom ar ôl poeri ar ei fawd eto.

' 'Na fe! 'Na fe! 'Na'r union le! . . . Cyflymach! Cyflymach! Fel hyn!'

Daeth trifys arall o boer o geg Rebecca i gyfarfod â bawd Tom ar ei chneuen o glitoris. Symudodd ei bysedd o gwmpas y gneuen mor gyflym nes i Tom fethu cadw at ei rhythm.

'Gad i fi 'neud! . . . Dod fys i fyny! . . . I fewn ynof! . . . Na, dod ddau fys i fewn! . . . 'Na welliant!'

Dechreuodd Rebecca ddyhyfod fel ci (neu ast!), cymaint oedd ei chynnwrf wrth ei mastyrbeiddio'i hun yn hollol reddfol a digywilydd. Lledagorodd ei llygaid i geryddu Tom.

'Wel? . . . Beth amdanat ti? Dyw 'ngweld i fel hyn ddim yn dy wneud ti i eisiau wancio dy hunan, neu beth?'

Cnawd cydnerth ag asgwrn oedd y codiad yn nwrn chwith Tom. Bu raid iddo gyfnewid y gorchwyl o un llaw i'r llall gan na fedrai ymbleseru ond â'i law dde, ddeheuig. Cafodd ddigon o ymarfer dros ei flynyddoedd priodasol, gan amla'n nirgelwch cyfrin y tŷ bach neu tu ôl i'w ddesg ar awr dawel yng nghanol diwrnod o waith.

111

Nawr, fodd bynnag, tynnodd yn egnïol ar goedd. Cynull-eidfa o un yn unig, efalle, ond cynulleidfa heb os. Llwyddodd Rebecca i ddal ei thin i fyny o'r ddesg i roi gwledd o olygfa iddo. Ag un llaw, ymdrechai i gadw plygion pinc ei gwefusau cedorol i'r naill ochr a'r llall i'r botwm a hwnnw wedi ei draflyncu'n orlawn o waed. Â'i llaw arall, ceisiai gyffwrdd yn dyner â'r botwm ei hun. Bob tro y llwyddai i wneud hynny, llamai ei chorff o'r ddesg. Ochneidiai'n anifeilaidd tra rhowliai ei llygaid yn hollol afreolus. Tybiai Tom ei bod yn actio i'w blesio.

Yn sydyn, teimlodd Tom glamp ei chedor yn gwasgu ar ei fysedd wrth iddi gyrraedd ei nod orgasmaidd. Am y tro cyntaf erioed, gwelodd Tom ymateb hollol ddi-gywilydd orgasm benywaidd. Peidiodd ei llamu. Siglodd ei phen i'r naill ochr a'r llall. Crynodd ei chorff o gopa'i phen hyd at ei sodlau. Lled-agorodd ei ffroenau. Edrychodd, na rhythodd at berfeddion llygaid Tom. A rhegodd. Rhegodd â'r ffieidd-dra mwyaf cywilyddus a glywodd Tom erioed. Hyd yn oed yn ei ddychymyg mwyaf budr, ni feddyliodd Tom o'r blaen am y fath bethau. Clywodd Tom ei disgrifiad bras am yr hyn oedd yn digwydd i'w chedor a phob rhan ddirgel, breifat arall o'i chorff. Cafodd ddisgrifiad manwl ac, i feddwl Tom, mochaidd o'r hyn yr hoffai wneud i'w gala; i ba dwll yn ei gorff yr hoffai wthio'i bys yr union eiliad honno a beth yr hoffai'i wneud â'r hufen oedd ar fin hyrddio o lygad ei gala enfawr, anystwyth.

Er gwaetha'i deimlad anghyffordus wrth glywed y fath eirfa anweddus, rheolodd y codiad ei ymennydd nes iddo hyrddio'r hufen gludiog yn anfwriadol ar hyd ei bol. Arluniodd linell wen, berlaidd o'i bogel ar draws ei thriongl blewog, tywyll. Hyd at y botwm porffor yn cil-edrych arno o binacl yr archoll rhwng ei choesau.

Dechreuodd hithau ar unwaith ar y gwaith o dylino'i bol â'r hufen dynol. Â'i llaw arall, gweodd batrwm ar ei botwm clitoregol â gewin ei bys. Cyn hir, dychwelodd y patrwm dibatrwm i'w hanadlu. Cafodd Tom gyfle i weld ail berfformiad o'i defod derfysglyd cyn iddi ostegu unwaith eto.

Ar ôl dau funud o dawelwch llethol, craffodd Rebecca ar Tom.

'Gyda llaw, paid â meddwl fod hyn yn golygu fy mod yn dy garu! Neu fy mod yn disgwyl i ti 'ngharu!'

'Ond gynne . . .'

'Ffwcia gynne! Proses anifeilaidd hollol yw cnychu. Rhywbeth hollol hunanol, digariad.'

'Pam?'

'O, Tom, ble rwyt ti wedi bod? Wyt ti'n mynd i ddweud wrtho' i dy fod ti'n meddwl am gariad wrth gyrraedd orgasm? Syniad hollol ramantaidd, sentimental yw cariad. Does gan gnychu ddim mwy i'w wneud â chariad na chachu neu biso. Ble ar y ddaear wyt ti wedi bod? A ti wedi bod yn briod hefyd.'

'Wyt ti'n mynd i 'weud wrtho' i, Rebecca, dy fod ti'n fodlon cnychu er mwyn dy bleser di dy hunan yn unig. Ac wfft i'r person sy'n rhannu'r pleser?'

Erbyn hyn, a'i waharddiadau personol wedi diflannu'n llwyr, naturiol ddigon oedd i Tom ymuno'n y ddadl â iaith o'r un safon fasweddol. Sut arall yn y byd y gallai ddygymod â'i sefyllfa bresennol? Ei gala llipa'n sbïo o'i drowsus ar forddwydydd llyfn Rebecca. Y rheini'n lled agored i ddadorchuddio holl fanylion y rhannau hynny o'i chorff a ystyriai'r mwyafrif llethol o bobl yn rhywbeth preifat a phersonol. Golygfa heb ei hail, synfyfyriodd Tom, wrth edrych i gyfeiriad ei bronnau twmpathog yng nghysgod ysgwyddau llydan. Safai'r tethau'n unionsyth fel dau filwr brown ar y copâu mynyddig.

'Tom, rwyt ti wedi cytuno, fwy neu lai, dy fod wedi cnychu'r Americanes 'na am yr wythnosau diwethaf. 'Sdim rhaid i ti gytuno. Fe'ch clywais i chi wrthi. Ac mi ro'wn innau wrthi gyda ffrind imi unwaith neu ddwy 'run pryd. Ond fe fuom ni'n gwrando arnoch chi hefyd.

Nid ar ddamwain ond yn bwrpasol. Mae gweld neu glywed pobl eraill wrthi'n cnychu'n fy nghyffroi i tu hwnt!'

'A phryd, ga i ofyn, orffennest ti gnychu'n gyfochrog â fi, 'te?' Teimlai Tom ei hunan yn cynhyrfu'n ddireol wrth ddechrau meddwl am yr hyn a glywsai dros y munudau diwethaf.

'Y bore 'ma, os oes raid i ti wybod. Gyda Marc heddi. Hen ffrind i mi sy'n gweithio oriau anghyson ac felly'n galw heibio o bryd i'w gilydd am gnwch bach yn awr ac yn y man. Rwy'n ei ffonio'n ei waith i ofyn iddo ddod draw ar ei ffordd adre. Dros y pythefnos diwethaf, gyda Robert. Cefais ddigon o Robert yn ymbilio arnaf i gyffesu fy nghariad. Felly, galwad ar y ffôn i Marc. Rŷn ni'n deall ein gilydd, Marc a finnau. Cnychu pan fydd hi'n gyfleus i'r ddau ohonom. Ond heb lynu wrth ein gilydd o gwbl. Am a wn i, mae e'n byw gyda rhyw ferch yn rhywle. Beth amdanat ti, Tom? Faint o ferched wyt ti wedi eu cnychu ers i ti ysgaru? Dwsin? Ugain? Hanner cant? Mwy?'

'Na! . . . Na! Neb!'

'O, Tom! Tyrd! Nid rhyw ficer neu *rabbi* ydw i, cofia. Does dim eisiau i ti ofni cyffesu'r cyfan i Rebecca fach.'

Roedd ei goslef wedi newid bellach, i fod yn ddirmygus ohono. Ac, wrth i'w sgwrs ddatblygu, roedd wedi ailsefyll ar ei thraed a chymoni ei gwisg. Agwedd fygythiol, meddyliodd Tom. Nid agwedd gariadus. Beth ddiawl rwy i 'di 'neud heddi? Y cnawd yn rheoli'r ymennydd. Yr ymennydd i gyd yn fy nghala!

'Wel?'

'Wel beth, Rebecca?'

'Wel, beth am geisio 'nifyrru i â stori neu ddwy am yr Americanes?'

'Beth?'

'Fe glywaist ti'r tro cynta. Hoffwn glywed tipyn am dy antur rywiol gyda'th ffrind o'r Unol Daleithiau.'

'Pam?'

'Pam? . . . Pam? Am fy mod yn hoff o glywed straeon am gnychu. Cnychu! Ti'n cofio. Beth wnaethon ni'n y parc ryw awr yn ôl. Os bydd y stori'n un dda, fe godaf fy sgert i ti eto cyn gadael. Ac fe gei di 'nghnychu heno hefyd am stori neu ddwy arall.'

Llamodd calon Tom i'w wddf. Nid mewn cyffro rhyw-iol. Ond o atgasedd ffiaidd at y Rebecca front hon.

'Allan!'

'Beth ddwedaist ti?'

'Allan! Nawr!'

'Pwy? Fi? Howld on, boi bach! Does 'na neb yn fy nhaflu innau allan o'r unman! Yn arbennig fel hyn!' A rhwygodd Rebecca'i gwisg o'r hem hyd at ei chanol.

'Sut fyddai cyhuddiad o drais yn mynd lawr yn erbyn un o gyfreithwyr parchus yr ardal, MISTAR Richards? Yh?'

'Iawn! Dyna dy gêm di'r hwren! Faint o ddynion sy 'di dy gnychu'n yr wthnos dd'wetha? 'Nest ti geisio codi blacmêl yn 'u herbyn nhw i gyd?'

'Pwy ddywedodd rywbeth am flacmêl?'

'Dyna beth yw bygythiad i'm cyhuddo o drais, yr hwren!'

'Wel, does neb wedi newid ei blydi meddwl arna i fel wnest ti. Rwyt ti fel ceiliog y gwynt!'

'Pwy sy 'di newid 'i feddwl? Ti newidiodd y rheole!'

'Pa reolau? Cnychu ydy cnychu! Nid rhyw gêm o gariad. Cala mewn cedor. Cala'n hyrddio had i'r cedor. Orgasm ffycin enfawr i'r cedor. Nid rhyw falu cachu o gusanu a chofleidio.

'Felly, wnes i mo dy dreisio di, naddo?'

'Wrth gwrs na wnest ti, y ffŵl gwirion! Ond os nad wyt ti'n fodlon ar chwarae gêm gyda mi, bydd yn rhaid i mi ofyn i ti am help ariannol i brynu sgert newydd.'

'Ac unwaith y cei di hanner can punt nawr, byddi di isie can punt wthnos nesa ac yn y bla'n ac yn y bla'n.'

'Byddai ambell gyfraniad i'r coffrau'n ddymunol iawn, byddai.'

'A 'na beth yw'r gêm, ife? Blacmêl wedi'r cyfan, dd'wedwn i.'

'Ddim o gwbl. Dim ond tâl am ddefnydd o gorff bach, bregus.'

'Beth yw'r gwahani'eth? Blacmêl ne' hwren. Rwyt ti'n cytuno, felly, nad achos o drais yw hyn wedi'r cyfan ond rhywun sy'n or-hoff o gnychu yn ceisio 'neud arian mas o'r hoffter?'

'Wel, ie. Os wyt ti'n mynnu gosod pethau fel yna. Felly, wyt ti'n mynd i dalu'r gost o brynu sgert newydd i mi, neu beidio?'

'Beth?'

'Beth?'

'Ie, beth? Dwi ddim yn mynd i dalu am sgert newydd. Ac fe ddangosa i ti'n union pam.' Trodd Tom i'r naill ochr wrth ei ddesg foethus i gyfeiriad bwrdd bach yng nghysgod y ffenest.

'Pan oeddet ti'n 'y mygwth â holl felltithion y gyfreth ne' dy angen am arian blacmêl, llwyddes i w'itho'r peiriant recordio 'ma. Ro'wn i'n gwbod fod 'na dâp ynddo fe ac, fel ma' dyn yn dishgwl 'da peirianwaith fodern, ma'r meicroffôn yn hynod o effeithiol, fel y cei di gl'wed nawr! Gwasgodd Tom ar fotwm neu ddau cyn ychwanegu: 'Nawr 'te, Rebecca fach. Cawn ailglywed eich bygythiad o flacmêl!'

'. . . *cachu o gusanu a chofleidio.'*
'Felly, wnes i mo dy dreisio di, naddo?'
'Wrth gwrs na wnest ti, y ffŵl gwirion! . . .'

'Y Basdad! Olreit! Olreit! Stopia dy ffycin peiriant! O, blydi 'el! Mae'r ffycin drws ar gau! Gad fi i fynd, Tom!'

'Â chroeso, Rebecca! A gob'itho y llwydda i i dy osgoi di wrth fynd a dod yn y lifft. Ma' hanner whant arna i ddodi hysbyseb yn y lle i rybuddio pawb rhag yr heintie ma' nhw'n debyg o'u dal trw' gysylltu â hwren fel ti!'

'BASDAD!'

* * *

Wrth i Tom adael Rebecca allan trwy ddrws ffrynt y swyddfa, dyna lle'r oedd Arthur yn sefyll a'i allwedd yn ei law ar fin ei agor o'r tu allan.

'Prynhawn da, Miss,' meddai yn orfoneddigaidd a chilwincio ar Tom.

'Y blydi cadno bach!' sibrydodd Arthur ar ôl iddynt ddechrau dringo'r grisiau.

'Dim ond cleient, wir i ti!'

'Wrth gwrs! Wrth gwrs! Pob lwc i ti, dd'weda i. A ma' Ffiona wedi f'atgoffa i dy fod ti a'r merched i ddod i swper 'da ni ryw noson tra'u bod nhw'n aros 'da ti. Cofia ddod.'

'Diolch, Arthur. Fe ffonia i Ffiona.'

Pennod 8

Am weddill yr haf, llwyddodd Tom i ymgolli'n llwyr yn ei waith yn y swyddfa. Doedd gan y plant fawr o ddiddordeb i wneud llawer gydag ef ar ôl i Anna ddychwelyd adref. Torrodd Olwen ei gwallt unwaith eto, cyn iddi fynd 'nôl at ei mam. Llwyddodd Mary i'w berswadio i roi ugain punt ychwanegol yn arian poced iddi ac fe fu'n ffôl o hael a rhoi'r un swm i Olwen. 'Diolch, Dad,' oedd yr ymateb annisgwyl o gwrtais ganddi.

Teimlai Tom fod ei blant yn ei osgoi yn yr union un modd ag y gwnâi yntau osgoi Rebecca. Fe welodd e hi unwaith o bell ar draws maes parcio'r fflatiau ond, heblaw am hynny, cyrhaeddodd ddiwedd mis Medi heb gwrdd â hi ar ôl yr antur yn y swyddfa.

Er y diffyg cyfathrebu rhyngddo ac Olwen, disgwylid iddo fynd â hi i Aberystwyth i gychwyn ar ei gyrfa brifysgol ar ddechrau mis Hydref. Cyfle arall iddo weld ei fam yn Abermorlais. Gydag Olwen y tro hwn. Fe'i rhyfeddwyd wrth iddo weld ei fam a'i gyntafanedig fel dwy chwaer gyfeillgar, ar yr union un donfedd, yn sgwrsio'n ddi-baid. Yn chwerthin am rywbeth neu'i gilydd bob yn ail funud. Menywod! Sut yn y byd mae 'na ddisgwyl i ni ddynion eu deall nhw? O gofio am holl drafferthion yr ysgariad a osodwyd ar ei fam, roedd hi wedi llwyddo'n rhyfeddol o dda i ymdopi â'r cyfan erbyn hyn. Beth bynnag oedd agwedd Tom at ei fam ac at Olwen, roedd wrth ei fodd yn eu gweld mor hapus yng nghwmni ei gilydd.

Pan ddaeth hi'n amser i fynd ag Olwen i Aberystwyth,

bron na allai'r hen wraig atal y dagrau. Ac fe oroedodd Olwen hithau yng nghoflaid gariadus ei mam-gu. Ar y daith trwy gefn gwlad Gorllewin Cymru, o Gaerfyrddin i Lanbedr-Pont-Steffan, ymlaen i Aberaeron ac ar hyd yr arfordir i Aberystwyth, siaradodd Olwen yn gariadus am yr hen wraig. Parodd ei sgwrsio di-dor am ei mam-gu i'w thad sylweddoli pa mor agos yn wir oedd Olwen at ei fam. Efalle fod 'na ryw gwlwm cyswllt wedi llamu cenhedlaeth. Neu fod 'na ryw gyswllt annealladwy rhwng aelodau o'r rhyw fenywaidd y tu allan i ddealltwriaeth Tom. Yn sicr, teimlai'n allanwr yng nghwmni'r ddwy, er cymaint y bwlch yn eu hoedran ill dwy.

Roedd hi'n amlwg, ar ôl cyrraedd neuadd breswyl y Brifysgol, mor awyddus oedd Olwen i ffarwelio â'i thad. Awchus hollol, bid siŵr, i gael blasu ei phrofiad cyntaf o fywyd coleg. Gwas i gario bagiau a bocsys oedd ei thad iddi heddiw. Ar un o'i deithiau i ystafell Olwen, bu bron iddo daro i mewn i gymydog newydd ei ferch. Roedd honno a'i mam yn cael trafferth i gario peth o'r pwysau trwm, yn ddillad, llyfrau neu gramoffon. Wrth sylweddoli maint eu trafferth, dychwelodd Tom ar hyd y rhodfa i gynnig tipyn o gymorth. Diolchgar dros ben oedd ymateb y fam. Goddefgar yn unig oedd cydfyfyrwraig Olwen. Tra oedd y ddau riant yn ymgodymu â'r gwaith o symud taclau'r merched, penderfynodd y ddwy ferch, yn ôl arfer ieuenctid, gymryd seibiant o egwyl goffi. Heb, wrth gwrs, gynnig paned i'r oedolion. Ar eu trydedd siwrne i stafell y gymdoges, bu Tom yn ddigon hy i gynnig i'r fam y dylent efelychu'r merched a chymryd paned eu hunain. Ymhen dim, roedd ganddynt ddŵr poeth i'w dywallt dros y coffi ond . . . ond, oedd, roedd yn rhaid iddynt gymryd eu seibiant ar wahân i'r merched. Dwy gadair yn unig ym mhob ystafell. Un gadair freichiau i hamddena neu i ddarllen ynddi ac un arall yn galed a syth ei chefn i berswadio'r myfyrwyr i weithio. O foneddigeiddrwydd, gorchmynnodd Tom fam cyfeilles newydd Olwen i gymryd y gadair freichiau gyfforddus.

Gwenodd arni dros ei gwpan. Cwpan y ffrind newydd, graffiti drosti i gyd. 'Kilrex Hic Erat.' 'Kilroi Était Ici.' 'Kilroy was here.' Ond dim sôn am 'Bu Cilfrenin Yma.' 'Buy Blitish' yn lle unrhyw gyfarchiad Cymraeg. Wrth sylwi arno'n darllen a gwenu, atebodd y fam â gwên lachar ei hunan.

'Ma' Karen a'ch merch yn dod 'mla'n yn barod. A nhw ddim ond newydd gwrdd. Dipyn yn haws nag yn fy ieuenctid inne.' Hyn i gyd yn Saesneg ond â thinc Cymreig y De.

'O, dwy ddim yn gwbod.' Cof Tom yn fflachio'n ôl at ei noson gynta, hollol feddwol, chwydol yn y Brifysgol. Tybed a yw'r Cŵps yn gymaint o atynfa â chwarter canrif yn ôl? meddyliodd.

'Beth bynnag, mae'n rhyfedd gwrando ar y ddwy ohonynt fel hyn, fel hen ffrindiau, a ni'n dau ar delerau dieithr ond yn rhannu paned. Gaynor yw f'enw. Falch iawn i'ch cwrdd . . . ?

'O . . . Tom. Falch i gwrdd â chithe 'fyd. Fuoch chi'n y brifysgol?'

'Y fi? Y fi'n y brifysgol? Allech chi 'nychmygu i'n y brifysgol?'

'Pam lai? Chi'n . . .'

'Rwy mor ddwl â phostyn. Na . . . dyna ddisgrifiad fy nhad. Ac, yn ôl Hywel, roedd 'nhad yn llygad 'i le.'

'Hywel?'

'O? Y gŵr. Wel, cyn-ŵr. 'Di 'sgaru, 'chwel?'

'Ma'n flin 'da fi . . .'

'Anghofiwch y peth. Gadawodd y diawl naw mlynedd 'nôl. A 'ngadael i â thri o blant.'

'O?'

'Ie, isie'i ryddid. Rhyddid? Pwy ryddid ges i a thri o blant i gyfyngu 'mywyd cymdeithasol a diwylliannol inne?'

'A cholli cyfle i astudio?'

'Pa gyfle? Cyfle i orfod nyrsio saith noson bron bob wsnoth o'r flwyddyn. A Mam yn gofalu am y plant. Dim ceiniog goch ganddo FE yn help i fagu'i blant e. A morgais enfawr a'r bilie'n ddi-stop.'

'Wrth gwrs. Ie. A gweud y gwir, rwy 'di 'sgaru 'fyd.'

'Ond adawoch chi ddim gwraig a . . .'

'Mam, odi popeth miwn o'r car?'

'Karen, ma' mwy ne' lai popeth lan 'ma. Ond dim ond diolch i Mr . . . Tom. Arno' i ofon bo' fi ddim yn gwbod 'ch cyfenw chi.'

'Richards, Mam. Ma'r enw ar ddrws Olwen drws nesa, chi'n cofio?'

'Wrth gwrs. F'ymddiheurad, Mr Rich . . . Tom.'

'Popeth yn iawn, Mrs Jenk . . . Gaynor.'

Torrodd y pedwar allan i chwerthin am ben eu hanghofrwydd.

'Beth bynnag, Mam, tra bod y wherthin 'di cwpla, ma' Olwen a finne isie myn' lawr i'r dre am ddwyawr cyn i'r siope gau. Gewn ni lifft 'da chi?'

Wedi munudau o ffarwelio cofleidiol â'u rhieni, herciodd y ddwy fenyw ifanc i gyfeiriad y maes parcio fel dwy ferch fach. Olwen yn ei dyngarîs denim, crys-T gwyn ac esgidiau gwaith, trwm. Karen mewn sgert ddenim gwta, braidd yn cuddio'i nicers. Merch yn ei harddegau'n ymfalchïo'n ei gallu rhywiol i ddenu llygad unrhyw un. Sylwodd Tom ar y gwahaniaeth mawr rhyngddynt. Olwen yn ymdrechu'n nerthol i guddio'i chorff. Karen yn dadorchuddio'i hasedau. Olwen yn gwneud 'i gore glas i edrych yn ddeurywiol, amhendant. Karen yn hollol fenywaidd, yn bendant yn ei hymdrech i ddangos y gwahaniaeth rhyngddi a dynion benbaladr. Er bod y ddwy tua phum troedfedd a thair modfedd o daldra, codai esgidiau sodlau uchel glas Karen gopa'i phen nes peri iddi edrych i lawr ar ei chydymaith newydd.

'Beth yw'ch trefniade chi am 'ch taith 'nôl adre i . . . ?'

'O? . . . I Gasnewydd. 'Na ble rwy'n byw. Ac . . . O'r gwynfyd! Ma'r ddou blentyn arall yn aros dros nos 'da Mam.'

'Fyddwn i ddim yn rhy hy, felly, i ofyn i chi ymuno â fi am baned o goffi yn y dre ne'n rwle agos rôl gadel y merched 'n y dre?'

'Wel, dwi ddim yn gwbod . . . Ond . . .'

'Pam lai?'

'Ie. Pam lai? Os 'di'r plant yn mynd i fwynhau'u hunen, pam na allwn ni? Ond bydde'n well 'da fi adel Aberystwyth. Yn lle'r peryg o gwrdd â Karen ar ôl ffarwelio. Bydd hi'n well . . .'

'Mam! Odych chi'n mynd i roi lifft i ni ne' beth?'

'Well i ni fynd atyn nhw. O's 'da chi syniad am rwle ar bwys?'

'Aberaeron. Os ŷch chi'n mynd adre ar hyd yr arfordir, Aberaeron. Ma' 'na le wrth ymyl yr harbwr sy'n 'neud te traddodiadol Cymreig. Bara brith a . . .'

'O, Mam! Dewch 'mla'n!'

'A chi, Dad! Neu fydd y siopau wedi cau!'

'Aberaeron amdani, 'te. Ddilyna i chi, Tom. Ga i? Reit, ferched! Ni'n dod!'

'Gwych. Well i ni fynd â nhw'ch dwy.'

Ar ôl dau funud o drafod yn y maes parcio, penderfynwyd bod y naill ferch a'r llall yn cael lifft gyda'i rhiant ei hun. Esgus rhwydd, felly, i'r ddau gar gadw'r llall mewn golwg.

' 'Sdim gobaith am ddecpunt arall, Dad? Mae gan Karen lawer mwy o arian yn ei chyfrif banc nag sydd gen i, chi'n gwbod.'

'Olwen, os o's modd darganfod mwy am sefyllfa ariannol rhywun mewn pum munud, 'do's 'na neb gwell na ti am 'neud 'ny.'

'Dyw 'na ddim yn deg, Dad!'

'Yn deg ne' beido, rwy'n ame dy ffeithie di. Rwy'n

gwbod fod mam Karen 'di 'sgaru. Ac yn ca'l pethe'n anodd yn ariannol. Gei di bum punt nawr a dim mwy.'

'Ond, Dad! . . .'

'Gwna di'n dda'n dy arholiade ac fe gei di dy wobrwyo. Fe gadwes i at 'y ngair trw' dy ddyddie ysgol, naddo?'

'Do, ond . . .'

'Dim "ond". Dal di at dy waith ac fe gei di fwy. Ond cofia, dyw hi ddim yn rhwydd iawn arna i ar ôl i dy fam a finne . . .'

'Na, Dad! Dwi ddim am glywed rhagor am 'na! Dwi wedi cael hen ddigon! Fel rwy 'di clywed am y posibil-rwydd o Raymond yn cael ei fasectomi wedi ei wrthdroi!'

'Beth?'

'Ie, glywsoch chi'n iawn! 'Na i gyd sydd i'w glywed yn y tŷ acw. Holwch chi'ch hunan. Pwy glown sydd eisiau rhagor o blant flwyddyn cyn cyrraedd ei hanner cant? A'i blant o'i briodas gynta ar fin priodi. Mae'r ddau ohonyn'n nhw'n ei alw'n hen ffŵl gwirion. Dyma ni, Dad. Bydd fan hyn yn iawn. Diolch am ddod â fi. Ac fe fyddwch yn falch ohonof. Rwy yma i weithio. I fod yn llwyddiant. Gewch chi weld.'

'Gobeithio. Ma' hi'n galed i gredu 'mod i'n gadel fy merch fach yn fenyw ifanc ar drothwy gyrfa prifysgol. Cofia ffonio dy fam heno. A chofia fy ffonio i unweth yr wthnos. Dderbynia i'r gost. Pob lwc!'

Cusan ar frys yng nghanol trafnidiaeth tref dipyn yn llai prysur na Llundain ac yna symud yn raddol i gyrion y dref. Cipolwg o bryd i'w gilydd i sicrhau fod car mini Gaynor yn ei ddilyn. Gwenodd wrtho'i hunan wrth gofio'i gwedd a'i hagwedd yn newid pan gynigiodd y syniad o rannu paned ar ôl gadael y merched. Eiliad yn unig o bendroni cyn derbyn y gwahoddiad. Wrth feddwl am y posibiliadau am weddill y dydd, symudodd Tom ei law dde i gyfeiriad ei drowsus. Lle go gyfyng ar gyfer ei gala a'i gerrig yng nghyffiniau'r brethyn modern. Doedd

Olwen ddim yn hapus iawn â'i '. . . ymdrech i edrych fel bachgen ifanc . . .' yn ei jîns denim. Cododd ei gwrychyn trwy wneud hynny ac, yn awr, difarodd ei benderfyniad i wrthryfela'n ei herbyn.

Edrychodd Tom yn y drych unwaith eto i weld car Gaynor o fewn rhyw ddecllath ar hugain y tu ôl iddo. Arafodd dipyn i roi cyfle iddi agosáu ychydig ato. Chwifiodd ei law chwith arni ac atebodd hithau'n ei thro â chwifiad ei hunan. Dechreuodd Tom rwbio'i gala'n gadarn trwy'r brethyn. Tyfodd yr angerdd yn drech na rhesymeg nes peri iddo dynnu'r codiad allan i awyr agored, lai cyfyngedig y car.

Tynnodd ei flaengroen yn ôl ac ymlaen dros goron frenhinol ei godiad mawreddog. Gwyddai nawr y byddai'n rhaid iddo gnychu Gaynor. Ymddangosai hithau, trwy 'iaith' ei chorff a'i hymddygiad cyffredinol, fel petai'n barod am gyfathrach rywiol. Gwyddai Tom, fel cyfreithiwr a chanddo brofiad eang o ddelio ag achosion o drais, yn well na chymryd pethau'n ganiataol. Gwyddai fod y ffin rhwng cyfathrach a thrais yn un denau iawn. Na, ni ddylai gymryd pethau'n ganiataol o gwbl.

Gwyddai fod ei fywyd bellach yn datblygu'n gyfres o benodau cyffrous-rywiol, picarésg. Petai ganddo'r cyfle, ryw ddiwrnod, i eistedd i lawr i ysgrifennu'r hanes i gyd, gwawd fyddai ymateb y mwyafrif llethol. Ond y gwir yw fod 'na ferched ar hyd a lled y byd 'ma yn ofni fod eu bywyd yn rhuthro heibio. Cofiodd Tom weld hysbyseb mewn cylchgrawn i ferched yn crefu arnynt brynu rhyw hufen neu'i gilydd ar gyfer y croen. Doedd 'na'r un ferch yn agos. Ond, yn eistedd yn hamddenol yn ei gadair freichiau, roedd 'na ŵr canol oed, a'i wallt yn llwyd. On'd ydyn nhw'n ffodus, y diawliaid, oedd y neges, yn edrych yn well wrth heneiddio. Tra'n bod ninnau'n gwaethygu o ddydd i ddydd. Ers iddo 'madael â Wendy, dysgodd Tom drosodd a thro fod merched, yn arbennig y rhai sy'n tynnu at ganol oed, ar gael ar gyfer ei bleser. Uned ffeministiaid y byd yn ei erbyn, os mynnent. Gwyddai, o brofiad, y gwir. Doedd ond angen darllen colofnau hysbysebion personol y papurau trymion i gadarnhau'i ddamcaniaeth. Degau o ferched yn cyson ofyn am '. . . gyfeillgarwch a chariad ac yn y blaen a.y.y.b. . . .' 'Ac yn y blaen . . .'? Yn ystod ei fisoedd cyntaf, unig ar ôl iddo symud i'r fflat, atebodd hanner dwsin o hysbysebion o'r fath. Yn ddieithriad, cysgodd, na cnychodd ac yna cysgodd gyda'r hysbysebwraig. Yn ddieithriad. Yn hollol ddieithriad. Ar noson eu cyfarfod cyntaf. Rhyddhad rhywiol. Heb sôn am gariad. Ymateb fel petai'n dial ar Wendy a holl fenywod y byd. Nid dyna oedd ei bwrpas, wrth gwrs. Digon hawdd, fodd bynnag, oedd deall ei ddirmyg cyfforddus tuag at fenywod. Wedi'r cyfan, roedd 'na ddigon ohonynt o gwmpas yn yr hen fyd 'ma. Yn sicr, fe fyddai 'na ddigon ohonynt yn llawn mor ddirmygus ohono yntau am ei deimladau. Ond gwyddai Tom fod 'na lawn cymaint yn falch o gael rhywun i'w hedmygu. Hyd yn oed dros dro. Dros nos hyd yn oed. Cofiodd un ferch a'i llusgodd i'w gwely un noson ac yna'n ceisio'i argyhoeddi y bore canlynol nad oedd ganddynt ddim byd yn gyffredin ond rhyw a bwyd. Buont am bryd da o fwyd mewn bwyty Ffrengig cyn cyplu drosodd a thro dros nos yn ei gwely. Yn y dyddiau hynny, ond rhyw dair blynedd yn ôl, roedd newydd-deb bod ar ei ben ei hunan yn anogaeth iddo daenu ei had fasectomaidd, diffrwyth hwnt ac yma heb orfod gofidio am y canlyniadau. Canlyniadau? Na, nid oedd 'na berygl iddo greu bywyd newydd yng nghroth yr un ferch. Canlyniadau? Beth am y gwahanol heintiau rhywiol? Er gwaethaf anogaeth meddyginiaeth gyfoes, gwell, fel arfer, oedd gan bawb beidio defnyddio condom ac wfft i'r canlyniadau.

Nawr, yn hwyr y prynhawn 'ma, roedd ar Tom yr angen, yn wir yr awch i gofleidio corff meddal Gaynor.

Rhywsut, teimlai'n bendant ei bod hi'n drachwantus am gorff dyn. Sut y gwyddai hynny? Greddf, efalle. Nid eiddo merched yn unig yw greddf. A rywsut, gan fod y mwyafrif o ferched a oedd wedi ysgaru yn hiraethu am gyfathrach rywiol, dysgodd Tom erbyn hyn sut i adnabod yr arwyddion. Dros y deufis diwethaf, pwysleisiwyd ei unigrwydd rhywiol yntau ar ôl ei amser yng nghwmni Anna a'r awr gyda Rebecca. Efalle, ryw ddiwrnod, y byddai arno angen cariad, gwir gariad. Nawr, fodd bynnag, rhyddhad o'r unigrwydd rhywiol llethol a bwysai mor drwm ar ei gala oedd bwysicaf iddo.

Roedd wedi hen basio Llanrhystud ac roedd y pendroni wedi tynnu'i sylw, a'i waed, yn ôl o'r talp o gnawd yn ei ddwrn. Ailedrych yn ei ddrych a chwifiad arall 'nôl at Gaynor. Hithau'n chwythu cusan ato. A nhw braidd yn adnabod ei gilydd. Addewidion, wedi'r cyfan. Addewidion!

Pennod 9

Heb fawr o drafferth, ond â sgwrs wenieithus, per-
swadiwyd Gaynor nad oedd raid iddi ddychwelyd i Gas-
newydd dros nos. Doedd ganddi ddim dillad sbâr na
dillad nos. Â thipyn o chwerthin a phoeni cyfeillgar,
llwyddodd Tom i'w pherswadio y gallent aros mewn
gwesty gwely a brecwast yn ardal Llanymddyfri. Digon
pell o'i chartref. Geiriau brys o ganmoliaeth am ei
phrydwedd a'i chorff, heb anghofio, wrth gwrs, ei ed-
mygedd o'i meddwl craff. Hyn, yn anad dim, a sicrhaodd
ei bodlonrwydd i rannu gwely.

Tri o'r gloch y bore a deffro Tom i'w berswadio i
'beidio dweud dim wrth y merched'. Saith o'r gloch y
bore a deffro Tom i'w berswadio ei bod yn ei garu.
'Mmm . . .' oedd ei ateb swta. Wyth o'r gloch y bore a
Tom yn syllu ar y nenfwd yn ceisio meddwl am ffordd i
ffoi o gyffiniau perthynas anniwylliannol, rywiol.
Treuliodd hanner y nos yn hanner difaru'r penderfyniad
i geisio cnychu Gaynor. Er iddo fwynhau'r gyfathrach
rywiol â hi, drosodd a thro trwy gydol y nos, doedd
ganddo ddim byd arall i'w rannu gyda hi. Siaradodd
yntau am lenyddiaeth, drama, y celfyddydau cain, y sin-
ema ac yn y blaen. Doedd gan Gaynor, fodd bynnag,
ddim tamaid o ddiddordeb yn fawr o ddim heblaw dillad
a chymdeithasu mewn clwb lleol yng Nghasnewydd lle
byddai'n chwarae *bingo* bob nos Sadwrn os na fyddai'n
gweithio.

'Buom yn ffodus iawn i gwrdd ddoe. Diolch i ti eto am
helpu i gario stwff Karen i fyny i'w stafell.'

'Popeth yn iawn. Dim byd, yn wir i ti,' atebodd Tom yn swrth rhwng dwy gegaid o gig moch wrth y bwrdd brecwast.

Gwnaeth ei ore glas i fod yn gwrtais tuag ati, ond petai rhyw ddieithriaid ar y bwrdd nesaf iddynt yn gwrando ar y sgwrs, byddent yn sicr fod Tom a Gaynor yn bâr priod canol oed. Hyn yn ôl goslef llais dirmygus Tom.

Teimlai ddirmyg tuag ati nawr. Am ei pharodrwydd i'w gnychu. Safonau dwbwl, wrth gwrs. Roedd hi'n anghenraid arno ei chnychu hithau er mwyn cael rhyddhad o'i dyndra rhywiol. Ond beth am ei thyndra rhywiol hithau? Wel, os mai dyna oedd ei hesgus, popeth yn iawn. Pwy oedd Tom i'w beirniadu? Ni theimlai ddim ond dirmyg ati bellach. Am y tro cyntaf ers cyn cof, teimlai rywfaint o euogrwydd ar ôl cyfathrach rywiol. Hyd yn oed ar ôl y bennod yng nghwmni Rebecca, atgasedd ati oedd ei unig emosiwn. Nawr, y bore hwn, yn Nyffryn Tywi, teimlai gymysgedd o euogrwydd ac atgasedd. Atgasedd ato ef ei hun. Am adael i'w gala reoli'i ymennydd yn llwyr. Prin y gallai feddwl yn glir, cymaint oedd yr atgasedd. Sut ar y ddaear y gallai osgoi'r berthynas newydd hon? Roedd Olwen yn barod yn gyfeillgar gyda Karen. Ac yntau, y ffŵl gwirion, wedi cnychu mam Karen! A Gaynor ei hun nawr yn siarad yn ddi-stop, am y pethe mwya gwirion. Mae'n amlwg fod Karen wedi gweithio'n galed iawn i gyrraedd y brifysgol o'i chefndir. Fyddai sgwrsio gyda'i mam ddim wedi bod o unrhyw werth diwylliannol iddi. Snobyddiaeth hollol, gwyddai Tom. Ond, pa ots? Doedd ganddo ddim dewis nawr ond teimlo'r dirmyg mwyaf angerddol tuag at Gaynor.

'Rwy'n twmlo mor agos atot ti fel 'yn, Tom. Bydd Karen yn falch i gl'wed 'mod i wedi ffindo r'wun *mor* neis. A byw yn Llunden 'fyd.'

'Beth? O? . . . Beth wedoch chi?'

'Mor agos, Tom. A finne wedi bod mor unig dros y

blynydde.'

'Mor agos?'

'Wel ie. Ti'n gwbod? Cysgu 'da'n gilydd neithwr. A dod 'mla'n mor dda 'da'n gilydd 'fyd.'

'O?'

'O, Tom! Rwy 'di bod yn dishgwl 'mla'n at 'yn ers blynydde. Y blynydde 'ny o'wn i'n twmlo mor unig.'

'Beth ddiawl odych chi'n siarad amdano, fenyw?' Diolch byth, meddyliodd Tom wrth siarad, fod 'na neb arall yn y stafell fwyta. 'Dim ond cnychu 'nethon ni! Dŷn ni ddim wedi priodi.'

'Rwy'n sylweddoli 'ny, w. Ond, dewch, allwch chi ddim gwadu'n bod ni m'wn cariad ar ôl yr hyn ddigwyddodd neithwr.'

'Beth wedoch chi?'

'Cariad. Allwch chi ddim twmlo'r cariad rwy'n 'i dwmlo atoch?'

'O, na! Allwch chi mo 'nal i ffor' 'na!'

'Be chi'n meddwl?'

'Gryndwch. Ma' cnychu'n un peth. Ond ma' bod m'wn cariad yn rhwbeth hollol wahanol.'

' 'Sdim hawl 'da chi i 'weud 'na! Allwch chi ddim newid 'ch meddwl mor syden!'

'Newid meddwl? Pwy sy'n newid meddwl?'

'Chi! Ro'dd cysgu 'da'n gilydd yn rhwbeth byth-gofiadwy! Yn ddechre dyfodol newydd 'da'n gilydd!'

A'i wynt yn ei wddf a'i galon ar garlam, gwyddai Tom os na wnâi rywbeth ar frys i atal y ffantasi erchyll hon, byddai'r ffŵl o fenyw 'ma'n meddiannu'i fywyd yn llwyr yn erbyn ei ddymuniad.

'Gryndwch, Gaynor. Ma'n rhaid i chi ddyall nad o'dd neithwr yn ddim byd ond tipyn o sbri a hwyl. Chi'n ffôl iawn i ddechre credu 'mod i am ych priodi ne' rwbeth fel 'na!'

'Dere 'mla'n, Tom. Wedes i ddim byd am br'odi. Ond ro'dd neithwr yn llawer mwy na phennod fer i'w hanghofio dros nos. Ro'wn i'n twmlo mor agos atot ti. Elli di ddim â 'nhowlu i ma's o dy fywyd fel rhyw damed o sbwriel! Wedi'r cwbwl, beth am Karen ac Olwen? Beth fydd 'da nhw i 'weud?'

'Gaynor, neithwr 'do'ch chi ddim am i'r merched wbod dim byd amdanon ni'n cysgu 'da'n gilydd. Pam ddiawl ŷch chi am iddyn nhw wbod nawr?'

'Tom, ma'n amlwg dy fod ti, fel pob blydi dyn arall ar y dd'ear 'ma, isie un peth ac un peth yn unig!'

'Dyw 'na ddim yn wir!'

'Un peth yn unig! Ac, ar ôl 'i ga'l e, ma' pob dyn wy'n nabod yn ffoi nerth 'i dra'd!'

'Ma' hyn yn hollol annheg!'

'Annheg? Annheg? Be sy'n fwy annheg na llusgo merch i'r gwely ac wedyn 'i thowlu hi i un ochor?'

'Llusgo? Towlu?'

'Ie! Llusgo a thowlu! Basdads ŷch chi ddynion i gyd! 'Na'r cwbwl ŷch chi 'di bod ato' i 'rio'd! A 'na'r cwbwl alla i ddishgwl 'mla'n ato 'da un arall sbo!'

'Syrthiodd Gaynor 'nôl ar yr hen dacteg fenywaidd. Dagrau. Yn llifo i lawr ei bochau. Yn dad-wneud y coluro. Un o'r pethau eraill achosodd i Tom deimlo atgasedd tuag ati oedd iddi gymryd cyhyd i goluro. Pwy ddiawl sy'n cario'r fath sothach i bobman mewn bag llaw? Dyma hi, corff deniadol (fel y gwelodd Tom hi neithiwr a'r bore 'ma), wedi ei gwisgo mewn trowsus taclus o sidan pinc. Blows o liw hufen o ddefnydd sidan a brodwaith o batrwm ethnig. Gwasgod fach o liw tebyg i win *rosé* i gadw'i chefn yn gynnes ond hefyd i bwysleisio ffurf ei bronnau crynedig. Ac roeddynt yn crynu nawr wrth iddi feichio crio. Teimlai Tom y dylai fod yn fawrfrydig a'i chofleidio. Roedd, fodd bynnag, yn llawer rhy benboeth i wneud hynny. Gwyddai, ym mherfeddion gwaelod ei galon, y byddai'n rhaid torri'r berthynas newydd hon yn ei hieuenctid. Gwyddai hefyd y byddai'n effeithio ar berthynas Olwen a'i chyfeilles newydd, Karen. Doed a ddelo, rhaid yw rhaid, meddyliodd.

'Y peth gore i'r ddou ohonon ni, Gaynor, yw i ni fynd ar ein gwahanol ffyrdd nawr.'

Y crio'n codi mwy o dwrw.

'Peidiwch â becso am dalu. Ddishgwla i ar ôl y bil.'

'Ie, hwren! Puten! Rhywun i brynu cnwch ganddi! Am bris noson m'wn gwesty rhad! A brecwast! 'Na'r cwbwl o'wn i ti wedi'r cyfan! BASDAD!'

'Ust!'

'Ust, myn uffarn i! BASDAD! 'Na beth wyt ti, Tom Richards! Gl'west ti? BASDAD!'

'Dyw 'na ddim yn deg o gwbwl.'

'Yn deg? Beth amdano' i? Beth sy'n deg am y ffordd ti 'di 'nhrin i? Beth sy'n deg am 'ny?'

'Wel . . .'

'Dim ffwcin wel! Defnyddio! 'Na'r cwbwl 'nest ti neithwr! 'Y nefnyddio i! A nawr ti am 'y nhowlu ar y domen sbwriel 'da gweddillion dy frecwast!'

Ar hyn, gwelodd Tom baned goffi Gaynor yn dod i'w gyfeiriad ar draws y bwrdd brecwast. Yn ei ieuenctid, ymfalchïai yn ei allu fel maeswr ar y cae criced. Troellodd y cwpan yn llawer rhy gyflym iddo, fodd bynnag, a'r coffi'n colli ar draws ei grys glân o gotwm llwyd. Wrth godi ei law i geisio dal yr arf ar y daith o law Gaynor, trawodd Tom ei gwpan ei hunan a'r pot coffi hanner llawn. Ni fu Tom erioed yn ŵr gwyllt ei ymateb. Cnodd ei dafod nawr wrth i ryw beint a hanner o goffi poeth wlychu'i drowsus.

'Diolch byth, fenyw, fod eich gwir gymeriad wedi dod i'r amlwg y bore 'ma!'

'Cymeriad pwy sy 'di dod i'r amlwg, Tom Richards? Ti fel pob Tom, Dic a Harri! Dic yn fyrfodd am Richards, wrth gwrs! A synnwn i ddim nad o's 'da ti frawd o'r enw Harri! Ne' falle 'na beth o'dd enw dy dad!'

'Shwt ar y dd'ear o't ti'n gwbod?'

'O? TOM, DIC A HARRI! Fel pob un arall! Ffwrcha bant, Tom Richards!'

'Teimlodd Tom gernod ei bag llaw yn fonclust wrth iddi godi i fynd at y drws cyn troi am un floedd arall: 'Ffyc off, Tom Richards!'

Wrth iddi fynd trwy'r drws, daeth perchennog y gwesty i mewn i weld beth oedd o'i le ar ôl clywed Gaynor yn bloeddio'i chyfarchiad olaf.

'Mr Richards, mae'n ddrwg 'da fi. Dyw'r pot coffi ddim yn gwllwng?'

'Ddim o gwbwl. Arna i ofon i fi 'i sarnu e. Mae'n ddrwg 'da fi.'

'Popeth yn iawn. Ond mae e 'di sarnu ar 'ch dillad chi 'fyd.'

'Odi, ond ma' 'da fi ddillad glân lan llofft.'

'Chi'n siŵr, Mr Richards? Fe allwn 'u golchi os ŷch chi am?'

'Na, dim diolch.'

'O's 'na rwbeth o le ar Mrs Richards?'

Gostyngodd ei goslef a lledodd gwedd gynllwynol ar draws ei hwyneb. Priodol iawn yng ngolwg Tom oedd ei gwedd a'i goslef i'r hen ystrydeb o wraig tŷ Gymreig. Mor debyg i'w fam. Mor lân â phin. Ond eto o ryw gyfnod sydd wedi diflannu o'r byd soffistigedig lle treuliai Tom ei ddyddiau ar gyrion Llundain. Trowsus llydan, neilon, brown a chanddynt wasg o lastig. Ceitlen o liw porffor llachar a ffriliau'n disgyn o'i mynwes. Ffedog henffasiwn dros ei hysgwyddau wedi'i chlymu'n ddestlus am ei chanol. Rhyw gymysgedd dwl o edrych fel dyn mewn trowsus ac fel putain yn ei ffriliau. Y cyfan wedi'i goroni gan doreth o wallt perocseid.

'Bydd popeth yn iawn, diolch, Mrs . . . ?'

'Davies. Mrs Davies. Chi'n siŵr?'

'Odw. Gwell i mi fynd i fyny'r grisie i ga'l gair 'da hi. Fe setla i'r bil ar y ffordd allan.'

'Dim brys o gwbwl, Mr Richards.'

'Ac fe dala i am y llien bwrdd.'

'Popeth yn ia . . . O, diolch, Mr Richards.'

Llwyddodd Tom i ddianc rhag mwy o sgwrs ping-pong gyda'r lletywraig. Yn sydyn, yn ddiesboniad, dechreuodd deimlo rhywfaint o ofid am beth oedd Gaynor yn ei wneud yn yr ystafell wely.

Llamodd i fyny'r grisiau fesul tair gan ofni y byddai hi wedi cloi drws yr ystafell. Ond na, agorodd y drws ar unwaith i ddatgelu Gaynor yng nghornel pella'r ystafell. Yn hanner eistedd dros fwndel o'i ddillad. Agorodd Tom ei geg i ofyn cwestiwn . . .

'Beth . . .'

'Beth 'wy'n 'neud? Ie, piso ar dy ddillad! Basdad!'

Clywodd Tom y llif gwlyb, brwnt rhwng ei choesau. Fe'i hoeliwyd yn ei unfan.

'A, 'tawn i heb fod yn y tŷ bach cyn brecwast, fydden i'n cachu ar 'u traws nhw 'fyd!'

O'r diwedd, deffrôdd Tom ei gorff a llwyddodd i groesi i'w chyfeiriad. Ar ruthr. Cyn cyrraedd ei nod, gwelodd fod Gaynor yn gwneud mwy a mwy o ymdrech. Ei hwyneb yn llawn dirmyg ond eto'n gwenu'n llachar. Gwthiodd Tom hi oddi ar y domen ddillad. Llwyddodd hithau, fodd bynnag, i ddal at ei gorchwyl. Yn ddamweiniol ai peidio, anelwyd peth o'r piso i'w gyfeiriad. Ar ei drowsus! I gymysgu gyda'r coffi. Ar hyn, cyrhaeddodd Mrs Davies i weld beth oedd y sŵn.

'A beth sy'n myn' 'mla'n fan 'yn?' taranodd.

'Dim . . .'

'Peidwch gryndo arno fe! Ma' 'na lot yn myn' 'mla'n 'ma! Basdad!'

'Wel! Wn i ddim beth i 'weud . . . Beth ŷch chi'n 'neud? . . . O, na! Blydi piso ar 'y ngharped i! Dai! . . . Dai! . . . O, Dai! Dere 'ma! Ma'r diawled boneddigedd 'ma 'di dod i 'ninistrio i!'

'Nid fi, fenyw. Ond y hi!'

'BASDAD!'

Teimlodd Tom grafangau'n twrio i'w foch dde a dyrnaid o'i wallt yn cael ei dynnu o gopa'i ben.

'Ffwcin 'el! Beth ti'n 'neud, yr hwren?'

'Dy ladd di! BASDAD!'

Fel arfer, allai Tom ddim ei annog ei hunan i fod yn gorfforol gas at fenyw. Yn bendant ddim i fynd mor bell â'i tharo. Nawr, fodd bynnag, eiliad ar ôl colli ei ddyrnaid o wallt, teimlodd law grafangog Gaynor yn cydio yng nghwd ei gerrig. A gwasgu. Nid y gwasgu tyner a fwynhaodd yng nghwmni Anna ond gwasgu cyn galeted â feis. Ymateb anifeilaidd hollol a barodd iddo daflu cernod a phwysau ei gorff i gyd y tu ôl iddi.

Llithrodd ei ddwrn de heibio i ben Gaynor nes iddo bron â tharo Mrs Davies. Rywsut, llwyddodd hi, yn ei thro, i osgoi'r gernod gan ochrgamu'n osgeiddig fel maswr ar gae rygbi. Collodd Tom ei falans yn llwyr a syrthio'n hanner diymadferth wrth daro'i ben yn erbyn un o goesau hen fwrdd a safai yng nghongl yr ystafell. Torrodd y goes yn ei thro gan daflu llestri te a'u chwalu'n deilchion ar y llawr.

Ryw awr ynghynt, rhanasai Gaynor a Tom bot o goffi ond roedd y pot yn dal yn hanner llawn. Sarnodd y coffi ar draws y llawr. Lledodd y ddiod frown ar hyd defnydd y carped o liw glas golau ac ynddo batrwm blodeuog.

'Y diawled! Dai! 'Drych ar y mès ma' nhw 'di'i 'neud ar 'y ngharped i! Galwa'r polîs! Naw, naw, naw! Ne' fydd y lle ma'n yfflon!'

'Ambiwlans gwlei. Llwyddodd Tom i ynganu'r geiriau cyn i'r boen dreiddio i'w ymennydd. Edrychodd ar fysedd ei law dde. Roedd y bys canol ar ongl wahanol i'r gweddill. Fel petai hi ddim yn perthyn i'r un llaw. Gwelodd law anghyfarwydd ar ben pella'i fraich.

'Peidwch â becso! Fe dala i am y cyfan! Ma'n ddrwg 'da fi.'

'Ma' hi'n iawn i chi siarad, Mr BLYDI Richards! Siarad am dalu? Ma'r ford 'na werth canno'dd, chi'n gwbod. 'Di bod yn 'y nhwlwth ers oeso'dd. Ffor' ŷch chi'n mynd i dalu amdani?'

'Siec?'

'Siec, ife? Man a man 'ch bod chi'n sgrifennu'r siec ar bêl denis, os gof'nwch chi i fi! Wneiff pêl ddim bownsio mwy na'ch siec chi sbo?'

'Olreit! Olreit, fenyw! Rho gyfle i'r boi 'neud lan i ni.'

'Ie, plîs. Ac fe fydd yn rhaid i fi ga'l gweld meddyg i 'neud rhwbeth am y bysedd 'yn.'

'BASDAD! Gadwch iddo fe ddiodde!' Geiriau digydymdeimlad Gaynor.

'Na, wir i ti, Blod. 'Nes i gamleoli bys unwaith wrth whare criced. A ma'r bo'n yn annioddefol. Gwell galw am feddyg cyn 'neud dim byd arall.'

'Chi'n iawn, Mr Davies. Plîs ga i weld meddyg cyn hir. Gore i gyd po gynted y caiff y bysedd 'ma'u c'wiro. Plîs!'

'Y diawl! Gad i fi 'neud y bo'n yn wa'th i ti! O'r diwedd, 'ma 'nghyfle i dy gosbi di am fod yn gymint o fasdad!'

'O, uffarn! Na, peidwch â gadel iddi 'neud dim i fi! 'Falle taw nyrs yw hi ond dwi ddim isie iddi hi ddod yn agos ato' i 'to!'

'Mr Richards bach. Os taw nyrs yw'ch gwraig, ddylech chi adel iddi hi'ch gwella, w.'

'Dŷn ni ddim yn blydi briod! Ma'r basdad 'yn 'di cymryd mantes ohono' i. A rwy 'di ca'l hen ddigon arno fe. Rwy'n mynd! 'Di ca'l gormod. Gadwch e'n 'i bo'n! Rwy'n mynd! Gwbei!'

A ffwrdd â hi, heb air arall. Heb boeni dim. Wedi'r cyfan, meddyliodd Tom, doedd hi ddim wedi disgwyl aros dros nos yn unman. Bydde hi 'di bod yn well, llawer gwell 'fyd, 'sa'n i 'di mynd i aros 'da Mam yn Abermorlais neithiwr. Yn lle'r dwli 'ma o chwilio am rywun i'w chnychu.

'A peidwch chi â dechre meddwl am rydeg bant, Mr Richards! Chi ddim 'di'n talu ni 'to, cofiwch.'

'Mrs Davies fach, ffor' alla i yrru car a 'mysedd i fel

135

'yn.'

Chwifiodd Tom ei law ati er mwyn ceisio creu ychydig o gydymdeimlad ynddi. Methiant llwyr.

'Ma' bobol fel chi'n llwyddo i osgoi talu'u dyledion bob dydd! Rwy 'di ca'l 'y nal gormod o weithe i'ch gadel chi i rydeg bant heb dalu'r tro 'ma, gwboi bach!'

'Unweth ac am byth, Mrs Davies, dwy ddim ar fin ffoi rhag 'y nyletswydde!'

'Dŷch chi ddim yn dishgwl i fi'ch credu chi ar ôl y ffordd rŷch chi wedi trin y pŵr dab 'na o nyrs gynne, ŷch chi?'

' 'Sdim amser 'da fi i esbonio'r helynt 'da honna i chi nawr. Os na chaf fi fynd i weld meddyg cyn bo hir, 'neiff y bysedd 'ma byth wella.'

'Ie, grynda, Blod. Fe ddylen ni fynd â Mr Richards lawr i'r feddygfa nawr. Bydd Huw Prys 'na heddi. Hen foi iawn yw e. Rwy'n 'i 'nabod e'n dda o'r clwb rygbi.'

'Plîs, Mr Davies. Cyn gynted â phosib.'

Munud neu ddau arall o ddadl cyn i Mr a Mrs Davies gytuno y gellid ymddiried yn addewid Tom i dalu am y niwed. Fe'i cludwyd yn eu car i'r feddygfa. Gwelodd y nyrs yn y dderbynfa ei fod mewn poen go ddifrifol. Ymhen dim, chwistrellwyd rhyw gyffur i ladd y boen i mewn i wythïen ar gefn ei law. Hanner awr yn ddiweddarach, cysurwyd ef y tu allan gan Mr Davies.

' 'Na welliant, Mr Richards bach.'

'Diolch, Dai. Mae'n twmlo'n well nawr 'fyd. Ond gwell i fi fynd sha thre ar ôl talu'ch gwraig chi.'

Nôl yn y gwesty, doedd croeso Mrs Davies ddim yn adlewyrchu cyfeillgarwch ei gŵr.

'Pedwar cant, Mr Richards. 'Na faint sy isie i 'nhalu'n ôl.'

Am eiliad, bu bron i Tom brotestio. Credai hefyd iddo deimlo Dai'n cymryd anadl ddofn yn sgil hyfdra'i wraig. Gwenodd Tom ar y wraig wrth iddo estyn am ei lyfr sieciau o'i ges. Diflannodd y wên yn fuan wrth i'r darnau papur syrthio i'r llawr o'i gwmpas.

'O, diawl! Ma' hi 'di torri'r siecie lan. I blydi gyd!'

' 'Na esgus cyfleus iawn on'd e? Pa mor amal ŷch chi a'ch gwraig 'di whare'r math 'ma o dric, Mr Richards bach? A hynny ond i ga'l nosweth o lety am ddim!'

'Nid 'y ngwraig i yw hi!'

'O? A nawr ŷn ni'n cl'wed y gwir am foese'r blydi byddigion, odyn ni?'

'Grynda, fenyw. Oni bai am y pare dibriod sy'n dod i aros 'da 'ni, fydden ni byth yn 'neud unrhyw elw. 'Sdim byd yn wahanol yn y ddou 'ma, w.'

'Dai Davies! Wyt ti'n l'wer rhy feddal 'da phobol. Ma'r ddou 'ma 'di troi mas i 'neud cwpwl o swllte ar 'y nghefen i a ti am gyfiawnhau'u anfoesoldeb nhw sbo?'

'Mrs Davies, ga i 'neud ymdrech . . . ?'

'Cewch. Lawr yng ngorsaf yr heddlu! Dai, galwa Sarjant Jones, 'nei di. Fe fydd hwn yn ddihiryn gwahanol iddo fe i ddelio ag e!'

'Gryndwch, Mrs Richards. 'Sdim isie'r heddlu miwn. 'Shgilwch. Ma' 'da fi'r cardie credyd i gyd.'

'O ie? A beth sy'n 'neud i chi feddwl fod rhyw fusnes bach yng nghefen gwlad Cymru'n derbyn cardie credyd?'

Erbyn hyn, roedd rhes o gardiau credyd Tom ar fwrdd y gegin. Pob un, diolch byth, meddyliodd, yn gyfan. Heb eu dinistrio gan y Gaynor sbeitlyd 'na.

'Nid, Mrs Davies, i'w defnyddio i'ch talu chithe'n uniongyrchol! Ond fe alla i fynd i'r banc yn y dre a thynnu arian mas i'ch talu chi.'

'Ie! A thra bo chi'n y dre, chi'n digwydd anghofio'n ddigon cyfleus amdanon ninne ac yn gyrru nerth eich olwynion 'nôl i'ch hafan yn blydi Lloegr 'na! Dim blydi ffiar! Galwa'r sarjant, Dai!'

'Chi ddim yn dyall, Mrs Davies.'

'Ddim yn dyall, wir! Rwy 'di gweld digon o'ch sort chi dros y blynydde i ddyall popeth!'

'Gallwch chi – ne'ch gŵr – ddod 'da fi.'

'Herwgipio 'fyd ife? Ddelen i byth yn 'ch car chi! Duw a ŵyr ble orffennen i lan!'

'Beth 'sa chi'ch dou'n 'y ngyrru i i'r banc yn 'ch car chi?'

'Ma' hwnna'n swno'n 'itha teg i fi, fenyw. All e ddim rydeg bant â ni ffor' 'na.'

'Wel . . . Olreit. Ond dim nonsens, cofiwch!'

'Dim nonsens, Mrs Davies.'

* * *

'. . . Wel, Tom. Ma' honna'n stori enilliff gwpwl o beints piwr i ti nos Wener yn y clwb sboncen os nag wyt ti 'di'i hadrodd hi iddyn nhw'n barod. Ac, arhosa di nes i fi 'weud wrth Ffiona!'

'Ti'n gwbod, Arthur. 'San i am gyhoeddi rwbeth bydeang, 'na gyd sy isie fi 'neud yw gweud wrthot ti!'

'Annheg, 'achan. Ond ma' peth o dy helyntion di'n werth'u hailadrodd wrth dipyn o bawb, w. Er 'nest ti a Wendy 'sgaru, ma' dy fywyd di 'di bod yn un antur ar ôl y llall!'

'Wrth gwrs, antur yw popeth i ti. Grynda, Arthur. 'Sa'r blydi Gaynor 'na 'di'n lladd i ne' 'san i'n y carchar heddi, shwt fyddet ti a'r busnes 'ma'n dal i fynd?'

'Ti'n iawn, Tom. Ma' 'mywyd i mor ddiflas fel bod unrhyw gyffro ym mywyd rhywun rwy'n 'i 'nabod yn rhoi rhyw deimlad o antur i fi. Ar y llaw arall, r'yt ti'n myn' i 'weud wrtho' i fod dy fywyd di'n llawn mor ddiflas 'fyd.'

'Ti'n uffarn o foi sarcastig, Arthur. Ryw ddydd, fe fyddi di'n cymryd rhan yn y cyffro. Pan fydd 'y nwrn i'n dy fwrw di reit ar dy drwyn!'

'Ac o'wn i'n meddwl dy fod ti'n heddychwr?'

'Paid dechre ar y trywydd 'na . . . Whech o'r gloch. Rwy'n mynd sha thre. 'Nôl i Gymru heno 'to. Rwy 'di addo bod yn Aber erbyn hanner dydd 'fory. Ma' Olwen isie i fi fynd â hi mas i gino. A nawr ti'n gwbod pam nad yw hi am i fi gwrdd â Karen byth eto.'

'Odw. A chofia, unrhyw gyffro arall dros y penwthnos 'ma a phaid ti â meiddio aros doufis arall cyn gweud y stori wrtho' i.'

'Fydd 'na ddim cyffro'r tro 'ma, 'lla' i dy sicrhau di. Casglu Olwen a dod â hi'n ôl i Lunden. Dwy nosweth 'da Mam yn Bermorles heno a nos 'fory. Fe fydda i'n y swyddfa bore dydd Llun ar ôl amser tawel y tro 'ma, gei di weld.'

'Y cwbwl s'da fi i 'weud yw dy fod ti'n lwcus y diawl. Yn mynd 'nôl sha thre i Gymru a'r holl olygfeydd 'na yng nghefen gwlad a . . .'

'Tra byddi di'n slafio i gadw'r llong i hwylio . . .'

'Nid 'na beth o'dd 'da fi. Ond fod Melissa 'di dewish myn' i Gaergrawnt. Y daith fwya diflas ar y dd'ear. Yr M-un-ar-blydi-ddeg trw' swydd Hertford! A'r gnawes yn gwrthod mynd i Rydychen achos 'mod inne 'di bod 'no. O leia bydde'r daith heibo Beconsffîld a Hei Wicom yn dwyn atgofion pleserus! O'dd na ddigon o ferched randi'n y ddwy dre pan o'wn i'n arfedd myn' i dd'wnso 'na o'r coleg.'

' 'Na fe, Arthur. Fe heuest ti ddigonedd o geirch gwyllt pan o't ti'n ifanc. Gest ti ddigon o antur pry' 'ny. Rhaid iti roi'r hanes i fi ryw dd'wyrnod. Anturiaethau Arthur!'

'O'wn nhw ddim hanner gystled â dy rai di, Tom.'

'Beth bynnag, Arthur. Oboutu dy daith i Gaergrawnt, ma' Adran y Gyfreth yn llawn gystel ag unman. 'Taset ti'n bleidiol i'th wlad, fe fydde Melissa 'di dewish myn' 'nôl i Gymru ac wedyn fe fyddet ti'n dod 'da fi heno.'

'Na, Tom. Ti'n gwbod nad yw Prifysgol Cymru'n ddi-gon da i Syr-Tad-yng-Nghyfraith.

'Pam ddiawl wyt ti'n diodde'r hen foi 'na gyda'i syniade ecsentrig?'

' 'Sa' i'n gwbod. Rwy'n twmlo weithe 'mod i 'di ca'l digon ohono fe 'fyd.'

'Arthur, ma'r amser yn mynd 'mla'n a ma'n raid i fi

fynd. Bydd y daith yn ddigon hir heb 'i gohirio'n malu cachu 'da ti fan 'yn.'

Cerddodd Tom trwy'r drws i gael dechre unwaith eto ar yr antur o daith heibio mynyddoedd ei febyd i gyfeiriad y môr . . .

Pennod 10

Deng niwrnod diflas o gyfreitha *boring*. Pam fod pawb yn credu fod bywyd cyfreithiwr yn ddieithriad ddiddorol? 'Duw, on'd wyt ti'n ffodus?' oedd cwestiwn cyson ei dad. 'Bob dydd yn wahanol. Problemau newydd i'w datrys yn feunyddiol. Wynebau newydd o'th flaen fesul awr. Ddim fel 'y mywyd inne â'r holl blant swnllyd 'na trw'r dydd.' Ie, ond beth am yr holl ddarllen unig? Yn ceisio dadansoddi rhesymeg rhyw farnwr yng nghyddestun problem rhyw gleient o fwli sy'n gwrthod gweld fod 'na ddwy ochr i bob dadl, yn credu fod yn rhaid i'r gyfraith ochri gydag ef. Bob tro.

Arthur yn bwrw i mewn i swyddfa gyfforddus, hannertaclus (am unwaith!) Tom ddeuddydd cyn cau am wyliau'r Nadolig.

'Tom, wyt ti'n cofio'r boi ifanc 'na gafodd naw mis? . . . Michael Goldberg?'

'Odw. Beth amdano fe?'

'Wel . . . Dim byd . . . Am y tro . . . Ond . . . Wel . . . Y fi fydd yn dishgwl ar 'i ôl e o hyn ymla'n. Iawn?'

'Â chroeso, Arthur. Wedi'r cwbwl, ti yw'r partner hyna. Fel wyt ti 'di bod yn atgoffa'r gweddill ohonom yn ddiweddar. Ond pam?'

'Wel . . . Wel, o'wn i'n mynd i adel pethe tan ar ôl Nadolig ond cystel i ti ga'l gwbod 'nawr.'

'Gwbod beth, Arthur?'

' 'Mod i 'di 'mad'el â Ffiona.'

'Beth? Alla i ddim credu hyn!'

'Ma'n rhaid i ti gredu. Achos mae e'n wir.'

'Ond ar ôl yr holl flynydde 'ma?'

'Ie. Mae'n anodd credu, on'd yw hi. Ond symudes i mas ddoe.'

'I ble, Arthur? A beth yw 'i henw hi?'

'Wrth gwrs, ma'n rhaid i ti ddod â menywod mewn i'r peth, nag oes e?'

'Arthur, ŷn ni'n dou'n 'nabod yn gilydd 'ddar dyddie coleg a ma' naill ai fenyw ne' arian wrth wraidd popeth wyt ti'n 'i 'neud. Felly, beth yw hi'r tro 'ma? Menyw ne' arian?'

'Wel, 'sdim arian wrth wraidd pethe'r tro 'ma. Ma' hynny'n bendant.'

'Dere 'mla'n 'te. Gwed wrtho' i. Pwy yw hi? Odw i'n 'i 'nabod hi?'

' 'Na'r un cwestiwn o'n i ddim am 'i gl'wed. Wyt. Wyt ti yn 'i 'nabod hi.'

'Paid dal ma's mwy 'te. Pwy yw hi?'

'Cymydog i ti.'

'Cymydog i fi? Pwy? Alla i ddim meddwl am neb . . . O, na! Nid Rebecca?' Chwibanodd Tom i ddangos ei ryfedd- od ac yna dechreuodd chwerthin yn afreolus.

'Tom, pam wyt ti'n wherthin gymint? Ma' Rebecca'n ferch hyfryd. Gwell i ti beido wherthin am 'i phen hi! Ne' gei di glatshen!'

'Na, Arthur bach. Nid wherthin am 'i phen hi odw i. Ond am yr holl sefyllfa. Wyt ti'n sylweddoli faint wyt ti'n mynd i'w golli?

'Dere 'mla'n, Tom, w. Nid arian yw popeth. Ti 'di gweud 'ny wrtho' i droeon o'r bla'n, achan. Ond yn y pen draw, pobol sydd fwya pwysig, cofia. Nid arian.'

'Wy'n gwbod 'ny. Ond ffor' alli di adel Ffiona am rywun . . . ?'

'Ie?'

'Wel . . . am rywun sy . . .' Brwydrodd Tom i ynganu gair, unrhyw air, na fyddai'n dangos y dirmyg, y dirmyg llwyr a deimlai at Rebecca â'i pharodrwydd i . . . i gnychu pawb dan haul. Ond yna, pa wahaniaeth? Roedd hi'n iawn i ddynion gnychu pwy ddiawl a fynnent. Pam na alle'r merched 'neud 'run peth?

'Rhywun sy 'di cnychu 'da ti, ti'n 'i feddwl?'

'Na . . . Ond . . .'

'Ond beth, Tom? O'wn i'n meddwl dy fod ti'n byw yn y nawdege. Ma' Rebecca 'di gweud wrtho' i am y prynhawn yn Hampstead fis Awst d'wetha. 'Na'r diwrnod weles i hi'n gad'el y swyddfa 'ma. Ac o'wn i'n gwbod pry'ny i ti 'i chnychu'n y swyddfa 'ma.'

'Ffor' allet ti . . . ?'

'Beth ti'n meddwl? Ffor' allen i? Ti'n cofio canol y chwedege? Pan o'dd y ddou ohonon ni'n fyfyrwyr? A phawb yn cnychu pawb? Hynny yw, bois yn cnychu merched, wrth gwrs. Nid tingnychu'r blydi hoywon. Ond cnychu go-iawn. 'Da rhywun gwahanol, newydd bob penwthnos.'

'Ond ma' pethe 'di newid 'ddar 'ny. Dyw hi ddim mor sâff nawr i 'neud 'na.'

'O diawl! Dwyt ti ddim yn mynd i ddechre pregethu am AIDS ne' bontifficeiddio am rwbeth ne'i gilydd, nag wyt ti?'

'Ddim o gwbwl. Ond . . . O, beth uffarn odw i'n 'neud? Gwed. Ti'n ddigon hen i benderfynu drosot dy hunan. Am Rebecca ne' am unrhyw fenyw arall.'

'Diolch, Tom.'

'Odi Ffiona'n gwbod am hyn?'

'Dim ond 'ddar neithwr.'

'A beth o'dd 'i hymateb hithe?'

'Un masnachol hollol. Yn gwmws fel byddet ti'n 'i ddishgwl. Merch 'i thad yw hi wedi'r cwbwl.'

'Beth ti'n feddwl?'

'Yr arian sy'n bwysig iddi. 'Na beth o'wn i'n feddwl. Y peth cynta dd'wedodd hi o'dd 'i bod hi'n falch 'mod i 'di dod mas i'r agored cyn i'w thad hi farw.'

'Fel bod ti ddim yn dwyn 'i ffortiwn e a'i gwastraffu ar

ryw hwren.'

' 'Na'i hunion eirie hi neithwr. Allet ti fod wedi sgrifennu'r sgript iddi. Ond, cofia. Er iddi gnychu 'da ti, dyw Rebecca ddim yn hwren.'

Gallet ti 'nhwyllo i, meddyliodd Tom. Ond ble ro'dd Arthur a Rebecca'n mynd i fyw?

'Yn 'i fflat hithe, dros dro. Nes bod pethe 'di setlo ynglŷn â'r 'sgariad. Ac fe fyddi di a fi'n gymdogion, Tom! Meddylia!'

Dychmygodd Tom ei hen gyfaill stwfflyd, canol oed yng nghwmni merch nwydus hanner noeth wrth erchwyn ei gwely. Yn y fflat uwchben ei fflat yntau. Na, roedd y darlun yn un llawer rhy chwerthinllyd. Llwyddodd, fodd bynnag, i gadw wyneb sych a difrifol wrth ddal ati i holi.

'Odi Ffiona'n mynd i ymladd am beth o dy gyfo'th di, Arthur?'

' 'Na beth wedodd hi neithwr, wrth gwrs. Ond chaiff hi ddim ll'wer. Ti'n gwbod 'ny. Adawa i'r tŷ iddi. Am fod Melissa yn byw 'da hi yn ystod 'i gwylie o'r Brifysgol. Ond 'sdim isie dim o 'nghyflog i arni. A'i thad 'di gadel ffortiwn 'itha sylweddol iddi'n barod. Miwn ymddiried-ol'eth, wrth gwrs.'

'Ie. 'Na ble wyt ti'n lwcus, Arthur. Nace fel o'dd pethe rhwng Wendy a finne. O'dd hi isie ca'l 'i chrafange miwn i'r practis 'ma 'sa hi 'di gallu 'neud 'ny.'

' 'Na'n gwmws beth wedodd Ffiona neithwr. Ond ma' hi'n ll'wer mwy cyfoethog na fi. 'Sdim gobeth 'da hi.'

'Gob'itho dy fod ti'n iawn. Ti'n gwbod, 'ddar yr holl helynt ges i 'da Wendy, 'wy 'di colli diddordeb mewn Cyfreth Deuluol. Yn llwyr. Yn enwedig materion arian-nol.'

'Wel, gwell i ti ailgydio yn y peth 'to. Pob un ohonon ni'n help i'n gilydd unweth 'to. Yn gwmws fel o'dd hi pan o't ti a Wendy wrth yddfe'ch gilydd.'

'Talu'r pwyth 'nôl, wyt ti'n feddwl?'

'Ddim o gwbwl. Ond ti'n gwbod ffor' ma'r gyfreth yn newid o fis i fis. A 'wy 'di 'neud cyn lleied o waith 'sgariad dros y blynydde. Bydd raid llosgi'r olew trw'r nos ar ôl Nadolig.'

'Yn gwastraffu amser cnychu?'

'Paid ti â dechre siarad am gnychu fel'na.'

'Pam, Arthur? Achos dy fod ti'n gofyn am help i greu mwy o amser i ti ga'l i gny . . .'

' 'Na hen ddigon 'da ti. Ne fydd 'na glatsio piwr 'ma!'

Hen ddigon yn wir. Gwyddai Tom hynny. Nawr o bob amser. Cofiodd y corddi meddyliol pan benderfynodd Wendy ac yntau wahanu. Doedd ganddo neb i'w gysuro gyda'r nos. Ddim hyd yn oed Rebecca. Rebecca. Rhwng Arthur a'i gala. 'Does a wnelo'r peth ddim byd 'da fi, meddyliodd Tom. Cadw 'ngheg ar gau. 'Na'r peth gore i'w 'neud. Cofiodd Tom hefyd am yr holl gymorth a roddwyd iddo yntau i geisio achub ei grystyn. Colli fu'r stori, fodd bynnag. A'i adael yn llwm. Dim perygl i hynny ddigwydd i Arthur, wrth reswm. O leia ma' Syr Parchus-o-Gaerlŷr yn mynd i golli rhywfaint o bar-chusrwydd nawr ynghyd â thamaid bach o'i gyfoeth. Byddai'r hen ddiawl yn sicr o edrych ar ôl ei Ffiona a'i Felissa fwyn. Cofiodd Tom glywed ffolineb Arthur wrth iddo geisio esbonio mai enw Cymraeg oedd Melissa. 'Y plentyn melysa'n yr holl fyd!' A'i mam yn wenynen yn llond gwenwyn a cholyn llym o dafod. Oedd, roedd yn rhaid talu'r ddyled 'nôl i Arthur. Ond beth am ddyfodol Arthur?

'A chi'n mynd i fod yn gymdogion i fi?'

'Am y tro'n unig. A gweud y gwir wrthot ti, ma' hyn wedi bod ar y gweill ers peth amser.'

'Beth ti'n meddwl? Am faint o amser?'

Ni theimlai Tom yr un mymryn o genfigen. Yn wir, ar ôl ei antur undydd gyda Rebecca, ni allai ond teimlo rhywfaint o gydymdeimlad tuag Arthur. Ond sut ddiawl oedd e 'di llwyddo i gynnal carwriaeth o dan drwyn

Tom? Yn yr un adeilad! Heb iddyn nhw groesi llwybrau'i gilydd.

' 'Ddar y prynhawn 'na fuoch chi lan i Hampstead.'

'Beth wedest ti?'

' 'Ddar y diwrnod 'na oeddech chi'n y swyddfa 'ma 'da'ch gilydd. Pam? Gest ti ddigon ar Rebecca dros dy awr ginio. Pam na alle hi edrych am dipyn o gydymdeimlad ar ôl i ti'i thrin hi mor wael?'

'Beth ddiawl wyt ti'n feddwl?' Ofnai Tom glywed gwirionedd yr ateb.

'Wel, wedi iddi d'adel di'n y swyddfa'r diwrnod 'ny, fe ffoniodd hi'n ôl i ofyn am un arall o'r partneried heblaw ti. Gwyddai nad o'dd ond tri ohonom ni 'ma a siawns o'dd hi iddi 'ngha'l inne. Wedodd hi ar y ffôn taw cleient o'dd hi, ond, ar ôl 'y ngweld i 'da ti wrth y drws, 'i bod hi isie 'ngweld i ar fater . . . wel, personol . . .'

'Wedodd hi wrthot ti 'i bod isie dy gnychu di, naddo fe?'

'Beth? Dros y ffôn?'

'Dere mla'n, Arthur. Paid whare'r dyn diniwed 'da fi. Ma' hi'n rhy hwyr o lawer i 'neud 'na.'

'Beth ti'n feddwl?'

'Grynda. Dyw Rebecca ddim yn rhyw slipen ifanc ddiniwed, nac yw hi?'

'Wel, na . . . Ond . . .'

'Ond beth, Arthur? Siwrne gynigiodd hi agor 'i choese i ti, fe ruthrest ti lan fel llygoden ffrengig miwn piben garthffos.'

'Cau dy ffycin geg, Tom! Ma' dy feddwl di mor frwnt!'

'Brwnt, myn uffarn i! Dim ond gweud y gwir 'nes i. A dwyt ti ddim yn lico'r gwir. Ddim o gwbwl.'

'Ti'n gwbod, Tom, o'wn i 'di gobitho y gallen ni drafod hyn i gyd fel oedolion nawr. Ond ti 'di'n siomi i 'da'r ffordd ti'n ymateb i bethe.'

'Ddim hanner gymint ag 'wy 'di'n siomi i dy weld ti'n ca'l dy sugno miwn i'r tân o'r ffrimpan.'

'A beth ar y ddaear ma 'na i fod i olygu?'

'Dwyt ti ddim yn sylweddoli, Arthur, taw'r cwbwl ma' Rebecca'i isie yw rhannu dy arian 'da ti.'

'Rwyt ti'n mynd ll'wer rhy bell y tro 'ma! Faint o fusnesa 'nes i pan wahanest ti a Wendy? . . . DIM! A phwy hawl s'da ti i fusnesa nawr? . . . Gwed! . . . Pwy hawl?'

'Dim ond nad wy' ddim isie dy weld ti'n colli'r cwbwl wyt ti 'di wmladd amdano trw' dy fywyd. 'Na gyd.'

'Wel, Tom Richards, ma' hi'n hen bryd i ti sylweddoli 'mod i'n ddigon o ddyn i ddishgwl ar ôl 'yn hunan. A bod Rebecca'n ll'wer gwell menyw nag wyt ti'n gwbod, boi bach!' Casâi Tom gael ei alw'n 'foi bach' gan Arthur. Gwyddai, gan nad oedd ond rhyw bum troedfedd a hanner o daldra, ei fod yn gorrach wrth ochr Arthur, a safai lawn ddeng modfedd yn dalach. Am y tro, collodd y corrach ei dafod.

'Ma' Rebecca 'di aberthu'r blynydde d'wetha i ofalu am y probleme sy 'di bod yn faich ar 'i rhieni hi. Ond fyddet ti ddim yn gwbod 'ny, wrth gwrs. Na byth yn sylweddoli 'ny. Ddim byth. Er dy fod ti 'di bod mor agos atyn nhw.'

'Beth ti'n feddwl? Mor agos?'

'Michael Goldberg.'

'Beth am Michael Goldberg?'

' 'Na ffor' wyt ti 'di bod mor agos at brobleme Rebecca.'

'Beth uffarn wyt ti'n siarad amdano, Arthur? Ma' hyn yn swno fel rhyw ddirgelwch tywyll i fi.'

'Dim ond am dy fod yn claddu dy big yn y tywod fel rhyw estrys trw'r amser.'

'Ddim o gwbwl. Ond dwy i ddim yn dyall y cyswllt rhwng Michael Goldberg a Rebecca.'

'Flansberg.'

'Flansberg?'

'Ne' Lizra.'

'Lizra?'

'Cyfenwe Iddewig.'

'Cyfenwe Iddewig?'

'Ie, cyfenwe Iddewig. Ma' Michael Goldberg yn gefnder i Rebecca Flansberg.'

'A Lizra?'

'Cyfenw mam Michael a mam Rebecca cyn priodi. Dwy chwa'r o'en nhw. Fe gollodd Rebecca'i rhieni pan o'dd hi'n ddeg o'd. Damwen car. A'th i fyw 'da rhieni Michael. 'I modryb a'i hew . . .'

'Wrth gwrs! 'Na pam o'dd hi'n y llys y diwrnod 'na!'

'O'r diwedd! Ti 'di dyall! A nawr 'lli di ddyall pam 'i bod hi a fi 'da'n gilydd?'

'Na 'lla' i. Ddim o gwbwl. Beth ti'n feddwl?'

'Be sy? Ti 'di colli dy farbls ne' beth? Rebecca sy'n talu coste amddiffyn Michael trw'r amser.'

'Beth?'

'Ar ôl 'i hymweliad â'r swyddfa 'da ti. Ac rŷn ni gyd yn gwbod beth ddigwyddodd pry'nny, on'd ŷn ni? Do'dd hi ddim isie i Michael 'neud dim byd 'da ti mwyach a . . . a, wel, o'dd hi 'di'n ffansïo i rywfaint . . .'

'A ti'n gweud wrtho'i dy fod ti 'di gadel Ffiona er mwyn cadw Michael Goldberg fel cleient?'

'Paid â bod mor ddwl, 'achan. Ma' trydan cryf rhwng Rebecca a finne. Paid â 'wherthin. Ma' pethe mor dda rhyngddon ni.'

Ond doedd 'na ddim gobaith i Tom fedru cymryd y syniad o ddifrif. Ar ôl ei bennod yn ei swyddfa gyda Rebecca, welai Tom yr Iddewes yn ddim byd gwell na phutain. Putain o'r radd isaf. Putain a oedd, i bob pwrpas, yn byw bywyd ffug. Hollol ffug. Bywyd dosbarth canol, cyfforddus wedi ei amgylchynu gan addurniadau gyrfa weddol gyfforddus. Ac Arthur nawr wedi'i ddenu i mewn i'w chrafangau. Y ffŵl gwirion! Yn taflu popeth i ffwrdd er mwyn cnychu putain! Tyfodd chwerthin Tom i fod yn floedd o sterics. Safai Arthur a'i wynebu'n stond ddifrifol. Fel digrifwr difrif. Parodd hyn i Tom chwerthin yn fwy afreolus byth.

'Dwy i ddim yn gweld beth sy mor ddoniol.'

'Nag wyt ti? Ma'r holl beth fel ffycin syrcas! 'Na beth sy mor ddoniol, Arthur!'

Wedi llwyddo i ynganu'i ddwy frawddeg o ymateb, collodd Tom bob rheolaeth ar bethau a dechrau rolio yn ei gadair. Ceisiodd ei reoli'i hun, ond yn ofer. Roedd amynedd Arthur, yn amlwg, ar fin torri'n yfflon. Sylweddolodd Tom os na allai'i reoli'i hunan y byddai'n siŵr o gael cweir ddifrifol gan y clamp o glown a safai o'i flaen. O'r diwedd, ac o fewn dim i dymer Arthur ffrwydro, llwyddodd i leddfu'r chwerthin. Ac i reoli'i dafod.

'Arthur,' dechreuodd, mor ddifrifol byth ag y gallai. 'Arthur, grynda. Ma'n flin 'da fi, ond ma'n rhaid i ti gyfadde fod pethe'n eitha doniol o'n safbwynt inne.'

'Dwy i ddim yn gweld 'ny o gwbwl.'

'Na? Ta beth, 'wy'n addo peido â wherthin 'to.'

'Gwell i ti beido, 'fyd.'

'Iawn, Arthur. A gweud y gwir wrthot ti, falle taw ti ddyle fod yn wherthin am 'y mhen inne.'

'Pam wyt ti'n gweud 'ny?'

'Achos taw fi bydd yn treulo Nadolig heb neb i'w chnychu 'to.'

'Dy fai di yw 'ny. Ti'n mynd 'mla'n â'r busnes 'na 'da phobol ddigartre 'te?'

'Wrth gwrs 'y mod i. 'Wy 'di bod am nosweth o hyfforddi lawr ar yr Old Kent Road. Alla i ddim tynnu'n ôl nawr.'

'Na, sbo. Pan wedes i wrth Ffiona am dy gynllunie di ar gyfer y Nadolig, wyt ti'n gwbod beth o'dd 'i hymateb hi?'

'Na. Beth?'

'Taw 'na beth yw Nadolig iawn. Dy fod ti'n gweithredu'n Gristnogol iawn. Yn wahanol i'r gweddill ohonon ni. Ond, 'na fe, ti fuodd y gwdi-gwdi erio'd.'

'Dyw 'na ddim yn deg o gwbwl. Ond mae'n ddiddorol

cl'wed ymateb Ffiona.'

'Odi, sbo. A ma' hi, Mei Ledi, 'di dy ffansïo di ers blynydde. Ti'n gwbod, beth ddylet ti'i 'neud yw anghofio am y bobol ddigartre 'na a threulo dy Nadolig 'da Ffiona. Fe ddishgwliff hi ar dy ôl di, a pwy a ŵyr, falle gei di'i chnychu hi.'

'Arthur, gad hi, 'nei di! 'Na'r cwbwl alli di feddwl am-dano. A shwd alli di 'weud y fath beth? A ti newydd 'madel â hi?'

'Yn ddigon rhwydd. Grynda, Tom. 'Wy'n eitha hapus lle'r odw i nawr. Yn cnychu Rebecca. Ma' Ffiona'n per-thyn i ran o 'mywyd i sy 'di hen orffen a 'sdim ots 'da fi pwy sy'n 'i chnychu hi. A gweud y gwir wrthot ti, fe fydde'n handi 'sa rhywun yn rhoi un iddi. A pham na alli di 'neud 'ny? Gwed. Ti 'di 'neud dy siâr o gnychu dros y miso'dd d'wetha.'

'Sa ti ddim ond yn gwbod y gwirionedd am bethe, meddyliodd Tom. Ambell antur hwnt ac yma yn ei fywyd picarésg. Fawr ddim o fywyd cymdeithasol heb hynny. Dyna pam y penderfynodd dreulio'i Nadolig fel gwir-foddolwr gydag elusen *Crisis* yn helpu i ofalu am rai cannoedd o bobl ddigartref Llundain. Gwyddai, erbyn hyn, mai mewn hen archfarchnad ar yr Old Kent Road y byddai'n treulio'i wyliau. Efalle y byddai syniad Arthur yn un da wedi'r cyfan. Ond, am unwaith, gwrthododd adael i'w gala reoli'i ymennydd.

'Na, Arthur. Dwy i ddim yn dy ddyall di o gwbwl. Dwy i ddim yn dyall ffor alli di mwy ne' lai gynnig dy wraig . . . na, iawn, dy gyn-wraig i ryw ddyn arall. A, beth bynnag, 'wy 'di rhoi addewid i *Crisis*. A, gyda llaw, 'wy'n gobeitho dy fod ti'n mynd i ddod mewn â hen ddillad ar gyfer rhai o'r rheiny sy'n llai ffortunus na thi a finne.'

'O, wel, all dyn ddim ond cynnig. A phaid â becso, ma' Rebecca'n paratoi llond sach o ddillad i ti fynd â nhw. 'Na un fantes o symud tŷ a newid menyw. Dyw Rebecca ddim yn lico rhai o 'nillad i a ma' hi 'di'm hannog i'w newid nhw . . .'

'Beth ti'n feddwl? Ti ddim yn gweud dy fod ti'n gwishgo dillad brwnt, wyt ti?'

'Paid â bod mor ddwl. Isie i fi brynu dillad newydd ma' hi.'

'Wy'n deall hynny i'r dim, meddyliodd Tom. Ac 'wy'n deall hefyd y bydd dillad newydd Arthur yn rhoi esgus gwych i Rebecca gael digon o ddillad newydd hefyd. Gallai Tom ei dychmygu'n dychlamu'i llygaid wrth ber-swadio Arthur na fyddai ei dillad henffasiwn hithau'n adlewyrchu'n dda ar ei ddelwedd newydd yntau.

'Beth bynnag, Tom, mae'n hen bryd i fi fynd. 'Wy 'di addo i Rebecca y bydda i'n gorffen yn gynnar y prynhawn 'ma. Ni'n mynd i'r theatr heno, ti'n gweld. I weld y Lloyd-Webber diweddara. Wela i ti 'fory.' A throi ar ei sawdl i adael Tom i synfyfyrio am ei anlwc – neu'i lwc. Gwell gan Arthur, fel Tom, ddrama gyfoes neu hyd yn oed ddrama gan Shakespeare na sioe gerddorol un-rhyw ddiwrnod, ond dyma enghraifft unwaith eto o ddylanwad Rebecca. Diolch i'r drefn, meddyliodd Tom, nad wyf fi yn yr un sefyllfa ag Arthur. Ond mae ganddo fe rywun i'w chofleidio gyda'r nos. Rhywun yn gwmni oriau hamdden. Rhywun i fynd â hi i'r theatr heno. Rhywun i fynd gydag ef am bryd hamddenol. Rhywun i gael sgwrs resymegol â hi. Nid fel fi. Llipryn unig yn byw er mwyn ei waith. Dylai, wrth gwrs, fod yn gweithio i fyw. Rhywun i'w chnychu.

Rhuthrodd meddwl Tom ar garlam dros hanes ei fywyd cymdeithasol yn yr wythnosau diwetha. Yn canolbwyntio ar ei ymdrechion i ddatblygu perthynas gyda rhyw ferch. Unrhyw ferch. Yn arbennig ar gyfer y Nadolig. Rywsut, roedd y ddrychiolaeth o'i weld ei hun yn ŵr unig, digymar dros y Nadolig yn fwy poenus nag unrhyw achlysur arall o'r flwyddyn. Hyd yn oed yn ei ddyddiau priodasol gyda Wendy, roedd yr angen i gofleidio yn llawer mwy angerddol dros wyliau'r Nadolig. Roedd arno wir angen cnychu ar noswyl y Nadolig. Ac yna i gnychu eto ar ddiwedd y dydd. Ni allai ddeall ymateb blynyddol Wendy. 'Ffor' alla i fod yn barod i'th dderbyn heno, o bob noson, pan fod pethe mor anodd rhyngom ni am weddill y flwyddyn?' Merched! 'Na i byth mo'u deall nhw!

Llithrodd ei gof dros ei ymdrechion diweddaraf. Un fantais enfawr o fyw yn ardal Llundain oedd fod yna sawl cyfle i gwrdd â phobl lawn mor unig ag yntau. Doedd ond angen edrych trwy dudalennau cylchgronau wythnosol y ddinas i ddarllen hysbysebion di-rif am glybiau a chymdeithasau ar gyfer pobl unig. Bu Tom droeon i gyfarfodydd sawl un o'r cymdeithasau hyn. Cinio gloddestol mewn gwesty crand. Ymweliad â'r theatr. Prynhawn Sadwrn hyfryd mewn amgueddfa cyn mynd am de enfawr yn Kensington. Ac yn y blaen. Ac yn y blaen. Ond, bob tro, yr un hen drafferth. Criw o bobl, yn ferched a dynion, allan gyda'i gilydd am y cyfeill-garwch a'r cymdeithasu diogel. Gan amla, y merched ifanc, golygus, yn newydd i Lundain. Yn ddigon awyddus i wneud ffrindie. Ffrindie? Pwy ddiawl sy isie ffrindie? Wrth nesáu at ei hanner cant, doedd ar Tom ddim angen mwy o blydi ffrindie! Gwnaeth (a chollodd) gannoedd o ffrindie dros y blynyddoedd. Ma' nhw'n iawn yn 'u lle, meddyliodd, ond nid yn y gwely ma' lle ffrindie. Dyna beth oedd ei angen ar Tom. Yn blwmp ac yn blaen. Merch i gysgu gyda hi. Neu'n hytrach, merch i'w chnychu.

Pennod 11

Diferai'r chwys tanbaid oddi ar dalcen Tom. Doedd e
erioed wedi gweithio mor galed. Gwirfoddolwr, myn
uffarn! Masochist hollol!

'Tom! Tom! Draw fan 'yn! Tom! Chlywest ti ddim
mono i? Draw fan 'yn, 'achan! 'Wy isie ffycin matras
wrth ffycin ochor Dai. Basdad! Ti ddim yn ffycin gryndo
o gwbwl! Ffycin basdad!'

'Gwell i ti fynd â matras ato fe, Tom. Ne' falle gawn ni
ddim tawelwch 'da'r boi trw'r nos.'

Cordelia, yn amlwg yn arolygydd o ryw fath. Yn
amlwg yn ffeminist hefyd, felly gwrthododd Tom feddwl
amdani fel arolygwr. Hi oedd â gofal dros y gornel hon
o'r hen warws heno. Roedd hi, rywsut, yn llawer rhy
effeithiol at ddant Tom. Ond, wedi'r cyfan, dyna beth
oedd ei angen yn y lle 'ma. I gadw bobl fel ffrind Dai yn
hapus.

'O'r ffycin diwedd! Chei di ddim ffycin tip ar ddiwedd
y ffycin gwylie, ti'n gwbod. Oe'n nhw ddim yn arfer 'y
nhrafod i ffor' 'yn yn y ffycin *Savoy*. 'Na fe. Jest fan'na.
Na. Ffor' arall rownd. 'Wy'n lico ffycin cysgu'n wynebu'r
Dwyrain. I weld y ffycin haul yn ffycin codi t'wel. Beth?
Na, wrth gwrs. Wela'i mo'r ffycin haul yn y ffycin bore
fan 'yn. Mis ffycin Rhagfyr! Yn ffycin d'wyll tan ffycin
hanner dydd a dim ffycin ffenestri'n y ffycin lle 'ma!
Byddet ti'n ffycin meddwl y galle'r ffycars fod 'di trefnu i
ga'l ffycin ffenestri'n y ffycin gwesty 'ma! Sawl ffycin
seren rown ni i'r ffycars ar ffycin diwedd y ffycin gwylie,
Dai?'

Cofiodd Tom yr anogaeth a roddwyd ar y noson hyfforddi. 'Byddwch yn gymdeithasol ar bob adeg. Gwenwch gymaint fedrwch chi. Peidiwch â rhoi'ch cyfeiriad i neb o'r gwesteion. Ac, yn bennaf oll, peidiwch â chael eich llusgo i mewn i unrhyw gweryl gan y gwesteion.' Gwesteion? Gwallgofiaid fyddai'n well enw arnynt. Rho gyfle iddynt, Tom bach, meddyliodd. Dwyt ti 'di bod 'ma ond prin awr. Rho gyfle iddynt. Wedi'r cyfan, dỳn nhw ddim wedi cael yr un cyfle â . . . Cyfle? Cyfle i 'neud beth? Ma' rhain wedi gweld llawer mwy o fywyd nag wyt ti wedi'i weld, hyd yn oed â'r holl brofiad yn y llys.

'Beth sy, Dai? Ti ddim ffycin isie i fi ffycin cysgu ar dy ffycin bwys di? Ond ffyc, Dai, 'achan, ni 'di ffycin cysgu ar bwys ein ffycin gilydd bob ffycin blwyddyn ma' *Crisis* 'di ffycin bod. Ol-ffycin-reit. Symuda i i ffycin rhywle lle bydd rhyw ffycars yn ffycin gwerthfawrogi'n ffycin cwmni i. Tom! Ble'r ffyc wyt ti nawr? 'Wy' isie ffycin symud i ryw ffycin le arall! Dere i ffycin symud y ffycin matras i fi!'

Symudodd Tom yn ufudd fel gwas bach taeogaidd i symud y matras yn ôl gorchymyn cyn-ffrind Dai. Teimlai fel gwrthryfela yn erbyn y gyfundrefn argyfyngol. Fe'i rhybuddiwyd mai cyfraith y jyngl fyddai'n rheoli wrth iddo roi o'i amser a'i egni i leddfu caledi'r digartref dros y Nadolig. Roedd hyn, fodd bynnag, yn waeth o lawer nag a ddisgwyliai. Pwy ddiawl oedd gelyn Dai i ddisgwyl gwasanaeth safon gwesty mewn twll o le fel hwn? Doedd y lle ond rhyw warws a fu unwaith yn siop enfawr yn gwerthu carpedi.

* * *

Ar ôl i Cordelia'i orchymyn i 'Aros lle'r wyt ti. Ma' isie presenoldeb gwirfoddolwr ym mhob twll a chornel yn y lle 'ma heno,' edrychodd Tom dros y môr o gyrff yn paratoi i gysgu. Ambell un yn dadwisgo. Y rhan fwyaf ond yn tynnu cot oddi amdanynt. Popeth yn eu meddiant yn cael ei ddodi'n ofalus ar un pen o'r matras fel clustog. Sawl un yn cofleidio'i eiddo fel cariad. Hwyrach mai dyma'r cyfan o'u meddiannau a rhywbeth digon naturiol felly. Wedi'r cyfan, mae'n cartrefi ni'n ein cofleidio ninnau bob nos wrth i ni fynd i'r gwely. Ond i'r digartre . . . Sylwodd Tom ar un dyn, tua chwe throedfedd o daldra, â'i gyhyrau'n gwrygio trwy fest na olchwyd moni ers oes pys yn codi'i becyn ar ei ysgwyddau noeth.

'Odych chi'n mynd i'r tŷ bach? Mi fydd hi'n iawn i chi adel eich stwff fan'na,' meddai Tom gan geisio bod yn wasanaethgar.

'Dim ffycin peryg!' Ateb cwta, braidd yn rhy gas at ddant Tom. 'Glywsoch chi'r fath rwtsh, hogia? Clown dosbarth canol arall yn dod â'i safone parchus crefyddol i'r ffycin twll uffar 'ma. Ha, blydi ha, Mr Gwirfoddolwr. Fydda i ond cachad yn y tŷ bach ond fydde'r ffycin lot 'di hen fynd 'tawn i'n gadel 'y mhecyn fan 'yn.'

Llifodd ton o chwerthin dirmygus o'r criw o gwmpas i ddenu Cordelia i weld beth oedd o'i le. Gwenodd hithau gyda'r hogie wrth glywed yr esboniad am ei ddiniweidrwydd. Gair o gysur ganddi iddo ar unwaith. Roedd yn amlwg yn llawer mwy profiadol na Tom. Stryd-ddoeth. Dyna'r disgrifiad gore o'i phersonoliaeth. Rhaid, wrth gwrs, oedd i Tom ei gweld yng nghyd-destun ei argyfwng rhywiol presennol, fodd bynnag.

Merch dal, lawn bedair modfedd yn dalach na Tom. Gwallt hir, euraid o gwmpas bochau coch fel afal. Merch gefn gwlad mae'n amlwg. Ond cefn gwlad Surrey neu Sussex yn hytrach na Dyfed neu Wynedd. Ei dannedd glân yn gloywi'n yr hanner tywyllwch o'u cwmpas. Gan ei bod hi'n tynnu at hanner nos, diffoddwyd y rhan fwyaf o oleuadau'r warws a fyddai'n lloches i dros chwe chant o bobl am y deng niwrnod nesaf. Safai gwirfoddolwyr eraill hwnt ac yma o gwmpas y lle. Gwarchod rhag tân fyddai'r gwaith pwysica o hyn ymlaen tan amser codi tua saith y bore. Ar ôl yr holl chwysu wrth daenu'r matresi, teimlai Tom braidd yn oer. Sylweddolodd yn rhy hwyr wrth lafurio ynghynt y dylai fod wedi tynnu ei siwmper oddi amdano. Gwelodd fod Cordelia a nifer o wirfoddolwyr eraill wedi gwneud hynny a chlymu'r dilledyn cynnes am eu canol. Dyna'r gyfrinach! Cyfrinach? Rhesymeg lwyr. Tom yn rhy hwyr. Fel arfer. Roedd Cordelia, fel y gweddill, wedi ailwisgo'i siwmper. Ac yn edrych yn hollol ddigyffro. Yn gwisgo jîns denim tynn. Yn hyderus yn ei hatyniad rhywiol. Ond eto'n dangos rhyw oerni. Oerni a roddai sicrwydd i bob dyn o'i chwmpas nad oedd ganddo ddim gobaith mul.

Edrychodd Tom o gwmpas eto. Gwelodd fod 'na ambell sgwrs yn mynd yn eu blaen hwnt ac yma ond fod y mwyafrif nawr yn setlo i lawr i gysgu. Fe'i rhybuddiwyd y câi amser go ddiflas am ran helaeth o'r nos ond y câi ddau neu dri chyfle am baned ac am un pryd go dda o fwyd i'w gynnal yn yr oriau mân. Gwelodd fod 'na wirfoddolwr bob rhyw ddecllath o gwmpas y muriau. Hynny'n amlwg yn angenrheidiol o weld yr holl ysmygwyr ymhlith y gwesteion. Sylwodd mai merched oedd y gwirfoddolwyr bob ochr iddo.

Wrth i bethau lonyddu o gwmpas y warws ac i lanw a thrai y chwyrnu fynd a dod o'r gwelyau, symudodd rhai o'r gwirfoddolwyr at gymydog am sgwrs neu fwgyn. Roedd yn amlwg fod nifer helaeth ohonynt yn hen gyfeillion ac yn hen gyfarwydd â chyfundrefn y lle. Teimlai Tom fel dieithryn. Heb fod yn rhan o'r frawdoliaeth. Heb fod yn rhan o unrhyw frawdoliaeth yn y lle 'ma. Ar yr wyneb, ymddangosai i Tom fod 'na ddwy garfan yma. Y gwesteion ar y naill law a'r gwirfoddolwyr ar y llaw arall. Fe'i synnwyd, fodd bynnag, gan y cyfeillgarwch rhwng rhai aelodau o'r ddwy garfan. Hen gyfeillion yn hen gyfarwydd â chyfundrefn y naill garfan a'r

llall. Gwelodd ei gymdoges wirfoddol ar y dde yn pen-
linio wrth fatras yn sgwrsio'n fywiog gyda'r perchennog.
Teimlai Tom yn fwy unig byth. Cysgai'r gwesteion yn
dawel o'i amgylch.

Dechreuodd amau a oedd hyn i gyd wedi bod yn
syniad da. Cofiodd ei fod yn ffoadur rhag dathliadau'r
Nadolig. Fel pob gwir ffoadur, methodd, hyd yn hyn o
leia, ddarganfod yr hyn y dyheai amdano. Gwelai ei hun
yn meudwyo. Hwyrach fod pawb o'i gwmpas yn ei weld
yn rhy fewnblyg. Gwrthododd wahoddiad Anna i fynd i
Boston. Diffyg arian oedd ei esgus. Rhan o'r gwir oedd ei
fod yn ofni rhwymo'i hunan fel y'i rhwymodd ei hunan
wrth Wendy unwaith. Fe fyddai'r datgymalu'n llawer rhy
boenus. Roedd hi'n anodd cadw ei lygaid ar agor. Wedi'r
cyfan, roedd wedi gweithio wythnos lawn cyn dod heno,
nos Wener cyn y Nadolig. Eisteddodd 'nôl i ymlacio'n y
gadair anghyfforddus.

Cysgodd. Do, fe gysgodd. Ambell funud neu ddau hwnt
ac yma. Cysgodd, ond ni orffwysodd. Ar ôl rhyw hanner
awr aflonydd, teimlodd law ar ei ysgwydd. Llaw dyner
Cordelia.

'Tom, mae'n bryd i ti fynd fyny'r grisiau am baned.
O'wn i ddim 'di sylwi dy fod ti'n cysgu. Ne' mi faswn
wedi'th anfon am hoe fach cyn hyn. Fe wnaiff coffi cryf
a rhywbeth i'w fwyta fyd o les i ti.'

Llusgodd Tom ei gorff cysglyd i gyfeiriad y grisiau yng
nghornel bella'r warws. Ymyrrwyd ar ei ffroenau gan
ddrewdod cymysg o chwys, nicotîn a phiso. A heno yw'r
noson gynta! Bydd y criw 'ma'n y twll o le hwn am
ddeng niwrnod! Cofiodd Tom iddo glywed gwestai neu
ddau yn sôn am eu balchder o gael cysgod rhag y rhew
a'r glaw dros gyfnod y gwyliau. Doedd dim ots ganddynt
am yr holl ddrewdod. Roedd pob un ohonynt yn ddigon
cyfarwydd â drewdod strydoedd brwnt Llundain. O leia
byddai Tom yn cysgu'r dydd mewn gwely glân a chynnes
yn ei fflat clyd. Ond cysgu ar ei ben ei hun. Yn ei wely

unig. Heb ddrewdod. Cofiodd am ei ddyddiau cynnar yng Nghaerdydd yn y chwedegau. Yn caru nyrs o Bont-ypridd. A hithau'n mwynhau 'gorwedd ym moethustra drewdod dy had ar ôl dy orgasm'! Prin y gallai reoli'i gala wrth gofio'r nosweithiau egnïol yn fflat y nyrs yn y Rhath.

Llifodd golau llachar ystafell y gwirfoddolwyr trwy'r drws o'i flaen ar ben y grisiau. Wrth nesáu at y drws, clywodd Tom glochdar bywiog acen gyfoethog Swydd Surrey a'r cyffiniau. Daliai i ryfeddu fod 'na gymaint o bobl ifanc yn barod i aberthu gwyliau'r Nadolig er mwyn helpu'r anffodusion 'nôl lawr y grisiau. Cerddodd i mewn i'r golau. I ganol parti Nadolig. Criw o bobl, yn ifanc ac yn hen, yn sefyll ac yn eistedd, yn bwyta ac yn sgwrsio. Doedd 'na ddim diod feddwol. Dim ond cyfeill-achu llon a phawb yn gwenu. Am un eiliad, un eiliad yn unig, meddyliodd Tom am adael y lle a ffoi'n ôl i unigrwydd ei fflat.

Cyn iddo wneud hynny, fodd bynnag, daeth triawd clochuchel i fyny'r grisiau tu ôl iddo a'i sgubo i mewn i'r stafell. Yn llythrennol. Gerfydd ei freichiau. Fe'i gosod-wyd i lawr unwaith eto wrth un o'r byrddau bwyd. Bwrdd a oedd dan ei sang.

'Barod am wledd, Tom? Cordelia'n ei osod i lawr. Hi a'i ffrind. Cawr o foi ifanc (h.y., ifanc i Tom) wrth ei ysgwydd dde. Roedd yn amlwg mai Cordelia a'r cawr oedd wedi'i gario at y bwrdd. Y ddau yn amlwg ar yr un donfedd. Yn canu'r un gân.

'Bwyd, Cordy, f'anwylyd! Bwyd! Os na fydde'r stwff 'ma i gyd, fe fydde'n rhaid i fi dy fyta dithe. A ti'n gwbod ble fyddwn i'n dechre? Dim isie halen fan'no! Ha! Ha! Ha!'

'Gafin, dod hi heibio, 'nei di! Ti isie i bawb wbod fod dy frêns di yn dy gala?'

'Pam lai, del? Gwell na bod nhw'n 'y nhin i! Ha! Ha! Ha!'

Ha, blydi ha, meddyliodd Tom wrth lanw plât â dant-eithion o un o archfarchnadoedd y brifddinas. Cyn iddo ofyn y cwestiwn, fe'i hatebwyd gan yr archwirfoddol-wraig, Cordelia. 'Ma' rhai o'r cadwyni archfarchnadol yn ddigon balch i'n helpu bob blwyddyn. Y drafferth yw nad ŷn nhw'n deall mai bwyd syml sy'i angen arnon ni. Ma'r rhan fwyaf o'r stwff ma' nhw'n 'i roi i ni'n llawer rhy faethlon i'r gwesteion. Felly, does 'da ni ddim dewis. Rhaid i ni'i fyta fe. A, beth bynnag, os anfonwn ni'r stwff gore 'ma lawr atyn nhw, fe fydd 'na fwy nag arfer o ymladd ymhlith y blydi gwesteion.'

Bu bron i Tom ollwng ei blât a thywallt y bwyd ar y llawr. Gwawd Cordelia'n ei ryfeddu. Ei llais yn llawn dirmyg.

'Wyt ti'n cofio llynedd, Elen? Y boi 'na'n bygwth stwffio selsig lan 'y nghont i? A mwstard *Dijon* arno! Digonedd o *Dijon*! Wyt ti'n cofio? Y bastad â'r mwstard! Diawled ffiedd yw'r ffycin lot ohonyn nhw'n y pen draw. *Guacamole* lan 'u pen ôl nhw i gyd. Ha! Ha! Ha! Alli di 'neud odl gystal â hon'na, Gafin?'

'Beth am gysgod o bysgod yn ca'l 'i ddilyn gan fwstard a chwstard, del?'

'Cwdyn o bwdin,' ebychodd llais eironig gerllaw.

'Pwdin rwdins,' crechwen o ryw gyfeiriad arall.

'Plentynnaidd. 'Na'r unig ffordd i'w disgrifio nhw. Dŷch chi ddim yn cytuno, ym, Tom, on'd ife? Ro'wn i'n methu darllen eich bathodyn i ddechre.' Bu bron i Tom gyfaddef i'r wyneb tyner oedd newydd ymuno ag ef yn y ciw am fwyd nad oedd wedi sylweddoli am yr awr gyntaf fod pawb yn gwybod ei enw am ei fod yn gwisgo'r bathodyn. Meddyliodd i ddechrau fod pawb yn hynod o glyfar yn cofio'i enw. Yna fe dreiddiodd yr wybodaeth i'w ymennydd fod y gwirfoddolwyr i gyd yn gwisgo bathodyn.

'Odw, a gweud y gwir, Buddug,' cyfaddefodd Tom yn dawel wrth edrych ar fathodyn enfawr a lliwgar ar frest ei gydymaith newydd. Roedd yn rhaid iddo edrych i lawr yn anarferol o bell gan na allai Buddug fod ond yn rhyw bum troedfedd o daldra. Cyfarwyddodd Tom dros y blynyddoedd â'r ffaith ei fod yntau'n gymharol fyr. O leia o'i gymharu â'i gyfoeswyr gwrywaidd. Yn gyfuwch, fodd bynnag, â'r mwyafrif llethol o ferched. Ond heno, wele Tom yn gawr wrth ochr hon.

'Rhaid byddaglu Buddug,' meddyliodd Tom wrtho'i hun wrth orffen llenwi ei blât bwyd. Doedd ganddo fawr iawn i'w wneud i'w byddaglu am y tro gan iddi gynnig dod i eistedd gydag ef ymhell o'r sŵn plentynnaidd o'u hamgylch. Cyn pen dim amser, roeddynt yn siarad fel hen gyfeillion rhwng cegeidiau o ddanteithion na fyddai Tom fel arfer yn medru eu fforddio. Llithrai'r sgwrs hwnt ac yma rhwng ymddygiad plentynnaidd Cordelia a'i chriw hyd at broblemau'r gwesteion digartref a digwyddiadau chwyldroadol y byd cyfoes. Yn llawer rhy fuan, daeth cawr o ddyn barfog yn cario bwndel o bapurau a ffeiliau i'w cyfeiriad a'u gorchymyn '. . . i foyn eich cotie trwm a mynd allan i warchod yr adeilad ar draws yr iard lle ma'r bwyd yn ca'l 'i baratoi. Cerwch i biso gynta achos fe fyddwch mas 'na am ryw ddwyawr a hanner. Ac mae'n rhy oer i neb dynnu'i gala mas yn y rhew heb sôn am ddadorchuddio dim byd arall, Buddug fach.'

'Ti'n gwbod, Tom, os o's 'na un peth dwi'n 'i gasáu, ma' ca'l 'y ngalw'n fach ar ben y rhestr. Dwi'n gwbod 'y mod i'n fach. 'Sdim isie i neb f'atgoffa i o hynny bob dydd.'

'Os 'na i ddim 'neud hynny heno, neu'n hytrach, y bore 'ma, 'nei di ddod allan 'da fi?' gofynnodd Tom yn llawn direidi yng nghwmni'r ferch ifanc hyderus hon.

'A phwy dd'wedodd fod 'da fi ddiddordeb mewn dynion?'

Cyn iddo allu dweud gair o ateb, roedd hi'n amlwg fod ei wyneb wedi rhoi'r holl stori i ffwrdd.

'O na, Tom. Dwyi ddim ffor' 'na o gwbwl. Ond dwy i

ddim 'ma i gwrdd â bachgen . . . neu ddyn, ddylwn i ddweud. Rwy 'ma i helpu'r criw anffodus sy'n cysgu lawr fan'na. Dere, gwell i ni fynd at ein dyletswydd neu fydd y cawr ar ein hôl.'

Wedi cymryd cyngor y cawr a thalu ymweliad â'r tŷ bach, mentrodd y ddau allan i awyr afiach ganol gaeaf y ddinas fawr. Gwelsant bâr yn cofleidio wrth y drws lle'u siarswyd i fynd i warchod.

'Wel,' meddai Tom, 'ma'n rhaid i ni dorri'r parti bach 'ma lan, ne' ti'n meddwl y dylen ni fynd 'nôl mewn a'u gadel nhw yng nghanol 'u pleser?'

'Na, gwell i ni ufuddhau i'r gorchymyn oddi uchod. Hyd yn oed os ŷn ni'n mynd i dorri ar draws y rhamant.'

'O'r blydi diwedd!' oedd ymateb y rhan fenywaidd o'r goflaid pan gyhoeddodd Tom ei fod ef a Buddug wedi cyrraedd i gymryd eu lle. Adnabu Buddug y rhan wrywaidd fel hen gyfaill o'r flwyddyn cynt.

'Peidiwch â chredu fod ein cofleidio'n awgrym o ddim byd heblaw'n bod ni'n blydi oer. Ma' Dai yn sâff o fod yn rhydd i ti, del. Wir i chi, bois, ar ôl dwyawr ma's fan hyn, ma' unrhyw ffordd o gadw'n dwym yn werth 'i harchwilio.'

'O, o'wn i'n meddwl 'n bod ni'n torri ar draws rhwbeth. Ond fe dd'wedodd rhyw Griff wrthon ni i ddod mas i'ch rhyddhau chi.'

'A diolch byth am 'ny 'fyd, gwboi,' meddai Dai. 'Ma' nhra'd inne 'di hen rewi. Dere, Elin. Ma' isie paned o rwbeth ffycin twym arna i ne' fydda i'n marw.'

'Odi hi mor o'r â 'na mas 'ma 'te?'

'O'r? Ffycin rhewi, dd'weda i. A, del, hyd yn o'd os nad wyt ti'n 'i ffansïo fe nawr, fe fyddi di'n falch o'i freichie fe cyn pen dwyawr. A tithe'n damed mor fach 'fyd.'

Ac i ffwrdd â'r ddau ar draws yr iard i wres a chroeso'r warws.

'Na dd'wedes i wrthot ti, Tom? Ma' pawb yn 'y nhrafod i fel 'y mod i'n rhyw ddol fach. 'Tawn i wedi dweud wrthi'i bod hi'n lwcus 'i bod hi'n weddol o dew i'w chadw'n gynnes, fe fydde hi 'di hen sgrechen y lle i lawr.'

'O'dd hi ddim mor dew â 'ny, w.'

'Na? Wel, dwi ddim yn credu 'mod inne mor fyr â 'ny chwaith. Ma'n iawn i bobol ddweud pethe cas am bobol fyr ond ddim am bobol dew? 'Na beth ti'n gweud.'

'Na. Ddim o gwbwl, ond . . .'

'Ond beth? Dwed. 'Sdim ateb 'da ti? Na. Wrth gwrs nad oes. A chofia. 'Sdim ots 'da fi beth ddwedodd yr Elin 'na. Yn lle dy fod ti'n dechre meddwl ffor' arall, Tom. Fyddwn ninne ddim yn cofleidio er mwyn cadw'n gynnes ar ôl dwyawr. Iawn, Tom?'

'Iawn, Buddug.'

'Paid â swnio mor ddiflas, Tom. Dyw'r byd ddim ar ben. Wedi'r cyfan, ma'n rhaid i ni fod yn gyfeillion am y ddwyawr a hanner nesa. Ond ddim yn rhy gyfeillgar, chwaith.'

Yr un hen stori bob dydd – a nos – nawr, meddyliodd Tom. Merched yn fodlon bod yn gymdeithasol, ond yn gwrthod mynd ymhellach. Pam fod 'na gymaint o wahaniaeth yn awch a chwantau rhywiol dynion a merched? Bydde pethe'n llawer gwell petai pob merch ar gael drwy gydol bob dydd a nos. Cnychu trwy'r trwch. 'Na beth fydde hwyl! Na, nid anifeiliaid monon ni. Rŷn ni i fod yn wareiddiedig. Beth? Ond dyw hynny ddim yn gwella'r boen o fod yn unig.

Achubodd Buddug Tom o'i ddiflastod gyda'i chwerthin llawen i oleuo tywyllwch y nos. Ac i daenu heulwen haf dros ddaear y gaeaf. Cyn i'r oerfel eu taro'n ormodol, roeddynt yn dathlu awr gyfan, unig o warchod. Awr a hanner yn ymestyn hyd at ddwyawr. Fel petai'r wybodaeth wedi treiddio i'r gegin, yn union wrth i draed Tom ddechrau rhewi, agorwyd y drws a daeth gŵr ifanc, du trwyddo yn cario hambwrdd. Codai ager o ddau fŵg ar yr hambwrdd.

'Coffi! Ŷch chi'ch dou'n 'i haeddu fe. A phlatied o fis-

gedi. Ma'n ddrwg 'da fi, ond fe ddyle un ohonon ni fod
wedi dod allan ryw awr yn ôl. A . . . Hei, Buddug, on'd
tefe? Wyt ti'n 'y nghofio i, Buddug fach? Llynedd? Parti'r
gwirfoddolwyr ar ôl y gwylie? Dawnsio 'da'n gilydd?
Wrth gwrs dy fod ti? Un tal ac un fer?'

'O, odw. Rhyw 'chydig ohono fe. Fe ddododd rhywun
ryw fath o gyffurie yn 'y ngwydr i. Nid y ti, 'wy'n gobeith-
io.'

'Na, nid fi. A dwi ddim yn siŵr iawn pwy 'na'th. Beth
bynnag, fe ddangosest ti i ni gyd ffor' i ddawnsio . . . A
dangos mwy, 'fyd.'

'Ie, 'na'r drafferth yn ôl yr hyn glywais i. Ond does neb
wedi dweud yr holl stori wrtho' i.'

'Dyna beth sy'n dod o fyw yn y ddinas fawr, cariad.
Rhaid i ti gymryd y da a'r drwg gyda'i gilydd.'

' 'Na beth ŷch chi ddynion o hyd yn 'i ddweud wrth
bobl fel fi. A dŷch chi ddim yn ailfeddwl cyn cymryd
mantais ohonon ni. Mae'n amhosib i chi'ch dau ddeall
sut beth yw e i deimlo gwawd pawb o'ch amgylch.'

'Hei! Howld on, cariad! Ti'n siarad â'r person anghywir
nawr! Pan fod dy groen di'n ddu, ti'n byw yng nghanol
gwawd bob eiliad o bob munud o bob dydd o bob wyth-
nos o bob mis o bob blwyddyn trwy gydol dy fywyd.
Dwyt ti ddim yn gwbod beth yw gwawd, 'nghariad fach
i.'

'Dwy ddim yn gwybod 'ny! Hyd yn oed nawr, fan hyn,
rwy'n gorfod dioddef dy wawd di am fy mod mor fyr.
Wnes i ddim cyfeirio at liw dy groen di o gwbwl.'

'Na? Ond, wel . . . wel, fe alla i deimlo'r gwawd yn dy
ymddygiad di. Ei weld e'n dy wyneb di. Hyd yn oed yn yr
hanner goleuni 'ma.'

Gwelodd Tom ei gyfle i ddistewi pethau. 'Gryndwch, y
ddou ohonoch chi. Dychmygu pethe ŷch chi'ch dou'n 'i
'neud heno. O'wn i'n meddwl ych bod chi'n ffrindie.
Chi'n ymddwyn fwy fel gelynion. Beth ddiawl sy'n bod
arnoch chi? Gwedwch.'

'Dim byd, syr. Ond rwy wedi cael hen ddigon ar bethau. Cefais fy stopio heno eto gan ryw ddiawl o blismon ar y ffordd draw 'ma. A'r peth ola ro'wn i am 'i glywed o'dd hon yn hawlio mai ond hi a'i math o'dd yn gorfod diodde gwawd.'

'Mae'n ddrwg gen i, Wesley. Ro'wn i wedi llwyr anghofio dy enw di. A ti'n iawn wrth gwrs. Pobl groenddu Llundain sy'n cael y gwaetha o bethau bob dydd. Gall pethau fyth fod mor ddrwg arna i. Maddau i mi, wnei di?'

'Wrth gwrs y gwna i. Mae'n ddrwg 'da fi fy mod i wedi mynd dros ben llestri gynnau hefyd. A gwell i mi fynd 'nôl mewn i'r gegin. Ma' paratoi bwyd i naw cant yn dipyn o orchwyl.'

Ar eu pennau'u hunain unwaith eto, roedd yr awyrgylch wedi toddi rhywfaint rhwng Tom a Buddug. Dwyawr yng nghwmni'i gilydd oedd allwedd y dadmer ond bu'r coffi a'r bisgedi'n help hefyd. Teimlodd Tom dalp o rew caled yn ei ddwy hosan. Roedd hon yn datblygu'n noswaith hir iawn. Dechreuodd Buddug redeg yn ei hunfan i geisio cynhesu. Gafaelodd Tom yn ei braich a'i thynnu tuag ato i'w chofleidio.

'Tom, mae'n rhaid i mi gyfaddef fy mod yn falch dy fod ti yma gyda mi. Rwy'n gobeithio na fyddi di'n cwyno os dweda i dy fod ti wedi edrych ar f'ôl fel tad am y ddwyawr olaf. Diolch, Tom.'

'A phwy sy'n gorfod diodde gwawd nawr, 'nghariad i? Ti 'di llwyddo i'n heneiddio dipyn 'da'r brawddege 'na. O'wn i'n gobeithio y galle pethe fod yn wahanol rhyngddon ni.

'Pam, Tom? Rwy'n gobeithio y gallaf fy nghyfrif fy hun yn ffrind i ti ar ôl heno. Ond ddim mwy na hynny.'

'Ond ma' 'na fwy na hynny. Llawer mwy. Alli di ddim 'i deimlo fe? Wrth ofyn ei gwestiwn, gwthiodd Tom ei gorff at Buddug, gan obeithio y gallai hi deimlo'i godiad cadarn. Ond ni chafodd yr ymateb a ddisgwyliai. Teimlodd sawdl esgid dde Buddug yn sathru'n fwriadol o galed a phoenus ar fawd ei droed dde.

'Ffycin 'el! Beth ddiawl wyt ti'n meddwl wyt ti'n 'neud? Gallet ti dorri tro'd rhywun wrth 'neud 'na! Ryfedden i ddim os nad wyt ti 'di 'neud 'ny'n barod.'

'Arnat ti mai'r bai! Pam mae'n rhaid i ddynion ddod â rhyw i mewn i bopeth?'

'Ma'n ddigon naturiol i fi dy ffansïo di ar ôl treulo dwyawr hyfryd yn dy gwmni di fel hyn.'

'Pam? Does dim rhaid i ti ddod â rhyw i mewn i bob perthynas. Pam na allwn ni fod yn gyfeillgar heb . . . heb i ti orfod gwthio dy hunan, a'r peth 'na, ata i? Falle 'mod i'n llai na hanner dy oedran di a heb gael dy brofiad di o fywyd, ond rwy wedi cael hen ddigon o ymddygiad anifeilaidd dynion! Y peth nesa fyddi di'n 'i ddweud yw dy fod yn fy ngharu.'

'Wel, na, ond . . .'

'Na? Diolch byth am hynny, o leia. 'Taswn i wedi cael punt am bob tro ma' dyn wedi dweud 'i fod e'n fy ngharu er mwyn ceisio mynd â fi i'w wely, fe fyddwn i'n gyfoeth- og iawn erbyn hyn. Ond, tan i'r person iawn ddod heibio, rwy'n cadw fy hunan i . . .'

'Beth? Dwyt ti 'rio'd 'di . . . ?'

'Na, Tom. A dwy i ddim am gysgu gydag un dyn cyn i mi wybod fy mod yn mynd i'w briodi. Alli di barchu hynny? Ti wedi dweud wrtho' i am Olwen a Mary. Pa mor hapus fyddet ti 'sa rhywun 'run oed â ti yn ceisio gwneud iddyn nhw beth wyt ti am 'i wneud i mi? Dwyn rhywbeth personol, unigryw o breifat er mwyn ychydig funudau o bleser i ti . . .'

'Sori, Buddug. O'wn i ddim wedi sylweddoli.'

'Na? Wel, dyna wers i ti'i dysgu. Ond ddim nawr. Mae'n edrych fel bod y ddau 'cw sy'n dod ar draws yr iard yn dod i gymryd ein lle ni. Rwy'n eitha hapus i ang- hofio am y munudau olaf ac i wenu ar bawb. Iawn, Tom?'

'Iawn, Buddug,' atebodd Tom yn euog wrth baratoi i drosglwyddo awenau drws y gegin i'r newydd-ddyfodiaid.

Pennod 12

Cymharol fyr fu'r egwyl fwyd nesaf cyn i Tom orfod eistedd mewn cornel i warchod rhag tân unwaith eto. A hithau nawr wedi troi chwech y bore, roedd 'na ychydig o gyffro hwnt ac yma nawr ac yn y man wrth i rai o'r gwesteion ddychwelyd i Lundain oer o'u breuddwydion. Poen chwisgi, fodca a chyffuriau yn amlwg ar wyneb neu ddau, hyd yn oed yn yr hanner tywyllwch. Grŵp o wirfoddolwyr yn cerdded o gwmpas yn anymwthiol i ddosbarthu gwydraid plastig o ddŵr oer i'r sawl a'i mynnai. Ebychiadau di-rif yn cwyno am '. . . ffycin gwesty mor ffycin ddiflas. Fe fydda i'n ffycin aros yn y ffycin *Savoy* heno, bois . . .' a phethau tebyg yn gymysg ag ambell fytheiriad a rhech.

Y corff agosa at safle Tom yn codi'n araf fel rhyw ysbryd hunllefus. Breichiau'n ymestyn fel petai am gyffwrdd y nenfwd. Pesychiad gyddfol yn cael ei ddilyn gan ddwy rech wrth i ymysgaroedd y corff ddilyn eu perchennog 'nôl i'r byd effro. Blancedi'n cael eu taflu i lawr i ddadorchuddio wyneb bach main o dan dusw o wallt afreolus. Y corff yn crynu fel ci gwlyb a'r wyneb yn gwenu wrth iddo gofio ei fod, am unwaith, o dan do. Mwy na thebyg, meddyliodd Tom, o dan do am y tro cyntaf ers Nadolig y llynedd.

'Bore da, Taff,' meddai'r wên yn ddirybudd.

'Ffor' wyt ti'n gwbod taw Taff odw i?' oedd adwaith otomatig a swrth Tom.

'Ti ddim yn myn' i fwgwth cyd-Gymro mor gynnar yn y bore, nac wyt ti? Nadolig Llawen, Taff. Dyw pethe ddim mor ddiflas â 'ny, 'achan. Fe allen ni fod mewn rhyw dwll gwlyb yn y cymoedd ne' rwle.'

'Beth wedest ti? Ma'n well 'da ti fod yn Llunden nag yn y Rhondda?'

'Twll o le!'

'Dim gymint o dwll â'r lle 'ma?'

'Twll arall, myn uffarn i. Na, ma' pobman yn dwll o'i gymharu â Shir Gâr.'

'Ti ddim yn mynd i 'weud wrtho' i dy fod ti'n dod o Shir Gâr?'

'Pam? Dwyt ti ddim yn mynd i stopo fi, wyt ti? Grynda, o'dd y bois i gyd yn iawn neithwr. Ŷch chi'r gwirfoddolwyrs i gyd yn byw ar blaned wahanol i fobol fel fi.' Ac fe drodd ei gefn ar Tom a dechrau pacio'i bethau i sach.

'Ma'n flin 'da fi,' sibrydodd Tom wrth weld fod y mwyafrif yn deffro ac yn paratoi am ddiwrnod newydd arall. 'O'wn i ddim am i ti beido gweud dy fod yn dod o Shir Gâr. Jest 'i fod e'n gyd-ddigwyddiad mowr, t'wel'. Achos 'na lle 'wy'n dod ohono 'fyd. Abermorlais. Ti'n gwbod?'

' 'Bermorles? 'Nath y lle fwy o les i ti na 'na'th e' i fi ta p'un.'

'Beth ti'n feddwl?'

' 'Bermorles. Twll arall o le. Paid siarad 'da fi am ABERMORLES!'

'Pam?'

'Achos taw 'na ble dechreuodd 'y mhrobleme i.'

'Ti ddim yn dod o Abermorles?'

'Na. Ond 'na ble dorrodd 'y mywyd i'n yfflon.'

'Na. Ffor'?'

'Pwy wyt ti i ofyn? Am wn i, ti'n perthyn i'r diawled.'

'Pwy ddiawled?'

'Y diawled sy 'di dinistrio 'mywyd i. 'Nhw yw'r diawled.'

'Ffor' 'nethon nhw ddinistrio dy fywyd di?'

'Fe gymre'r dydd i gyd i roi'r holl hanes i ti. A 'smo i'n credu fod llawer o amser 'da ni cyn byddwch chi'r crachach yn dwgyd y gwelye 'to.'

'Saith o'r gloch ma' nhw isie i ni 'neud 'ny. Newydd droi hanner awr 'di whech yw hi nawr.'

'A ti'n benderfynol o ffeindo'r cwbwl mas amdano' i'n yr ucen muned nesa? Ti'n foi busneslyd, on'd wyt ti?'

'Na. Weden i ddim 'ny. Ond, am dy fod ti 'di siarad am Abermorles, ti 'di 'ngneud i'n chwilfrydig.'

'Ti 'di llyncu geiriadur ne' beth? Gwell 'da ti ddefnyddio geire mowr yn lle geire bach ma' pobol fel fi'n 'u dyall.'

'Ddim o gwbwl. Ond dere 'mla'n. Ne' fydd hi'n saith.'

Edrychodd y cardotyn o Gymro o'i gwmpas yn ddrwgdybus. Erbyn hyn, roedd dros hanner y gwesteion yn effro. Ambell un yn mwynhau mwgyn cynta'r bore. Pawb yn crafu. Copa pen neu ben ôl. Chwyrnu neu rechu o bob cyfeiriad. Wrth i'r storïwr anadlu'n ddwfn cyn cychwyn ar ei orchwyl, sylwodd Tom ar datŵ'r ddraig goch ar ei fraich dde. Dyn bach main oedd yn ei wynebu, yn cydweddu â'r hen ddelwedd ystrydebol o Gymro. Yn prysur golli'i wallt. Y gwallt a'i farf yn prysur lwydo. Atgoffai Tom o filgi main. Llygaid cyflym. Yn ciledrych o'i gwmpas yn nerfus. Ac yn gwisgo dillad cardotyn.

Hen drowsus melfaréd brown yn cael ei ddal i fyny gan wregys o raff. Ambell dwll wrth y pen-gliniau ond yn amlwg yn ddilledyn cynnes a chyffordus. Crys brithwe trwchus dipyn yn rhy fawr iddo. Hen ffrind i'w berchennog. Wrth feddwl amdano'n crwydro'r wlad, gwelai Tom hwn fel hen gyfarwydd ar fin llefaru am ei swper neu, yn hytrach, am hanner awr wedi chwech y bore, am ei frecwast. Pesychiad cyn dechrau ar ei araith gryg.

'Wel, am dy fod ti'n mynnu ca'l gwbod, man a man 'y mod i'n rhoi'r hanes i gyd i ti. Fe ges i 'ngeni a'm magu ar fferm lawr yn y Gorllewin. Heibio i Gaerfyrddin.

'Sdim ots yn gwmws ble. Y fi o'dd yr ifanca o bedwar o fechgyn. Cyw melyn ola Mam, wrth gwrs, ond y pedwerydd hefyd o'dd â'i fryd ar ffermio. Do'wn i ddim yn gwbod y peth lleia am ddim byd arall. Dim diddordeb mewn gwaith ysgol na dim byd ffor'na. Pan o'n i'n f'arddege, fel pob mab ffarm arall, 'nes i ymuno 'da'r Ffermwyr Ifanc. Do'dd 'da fi ddim diddordeb mewn barddoni a chynganeddu. Cwpwl o beints yng Nghaer-fyrddin ne' Llanelli ar nos Sadwrn ac ambell i ddawns fan hyn a fan 'co wedyn ac ro'wn i'n eitha hapus â'm bywyd . . .'

'Mab ffarm? O'ch chi'n eitha cyfoethog 'te?'

'Ddim o gwbwl. Tenant o'dd 'Nhad. Wedi benthyca'n drwm o'r banc. Siwrne o'n i'n un-ar-bymtheg, mynd i weithio ar fferm gyfagos fel gwas o'dd yr unig ddewis o'dd 'da fi. Ond 'nôl at y Ffermwyr Ifanc. 'Na ble o'n i'n arfer cwrdd â merched. Merched fferm o'dd y rhan fwyaf, wrth gwrs, a'r rheiny'n wasod bob nos Sadwrn ar ôl gwydraid neu ddau o seidr. Ac, yn y pen draw, 'na beth achosodd 'y nhrafferthion i . . .'

'Ffor' 'ny?'

'Merch wasod. 'Na beth sy 'di achosi i fi gwpla fan hyn. Ne'n hytrach, merched wasod sy 'di achosi 'nghwymp i.'

'Dere 'mla'n, 'achan. Merched wasod sy'n achosi'n trafferthion ni i gyd. Ti'n gwbod 'ny? Teimlai Tom gydymdeimlad dwys gyda'i gyd-Gymro. Gwyddai iddo fod yn ffodus iawn i gael addysg a chymhwyster proffesiynol. Lwc hollol oedd cael ei eni'n unig fab i athrawon cymharol gyfoethog. Oni bai am hynny, gallai Tom ei ddychmygu'i hun yn un o'r gwesteion hyn dros y Nadolig.

'Ti'n iawn. Ond dyw pawb ddim yn ca'l 'u tynnu i lawr mor bell â hyn. Y peth gwaetha 'nes i o'dd mynd i weitho i 'nhad-yng-nghyfreth.'

'Pam 'ny? Fydden i'n meddwl y buest ti'n lwcus i briodi merch ffarm.'

' 'Na beth fydde pawb yn 'i feddwl. Ond fe biges inne'r teulu anghywir.'

'O?'

'Do. A chnychu dwy wha'r a dodi'r ddwy yn y clwb. O'dd y ddwy'n efeillied t'wel'.'

'Merched Ffarm Glanmorles Ganol. 'Wy'n cofio'n rhieni'n gweud y stori wrtho' i.'

' 'Na fe! O'n i'n gwbod na ddylen i ddim fod wedi dechre ar y ffycin hanes. Ei di'n ôl adre a chyn hir bydd pawb yn wherthin ar 'y mhen i am orffen fan hyn!' Taranodd ei lais yn ddolefus ar draws y warws.

'Cau dy geg, Taff! Alli di ddim gweld fod 'y ngwraig i isie cysgu? Dim ond pythefnos sy 'da hi i fynd, ti'n gwbod!'

'Dod dy dafod yn dy din am awr, Taff! Mae'n rhy gynnar!'

'Sgrech arall fel'na, Taff, ac fe fyddi di'n siarad a rhechu trw' dy din! Ha! Ha! Ha!' Ro'dd Tom wedi sylwi fwy nag unwaith ers iddo gyrraedd neithiwr fod 'na ambell eco o hyd yn barod i geisio efelychu brawddeg neu ymadrodd digri. Er mwyn ceisio denu rhywfaint o chwerthin. Methiant llwyr, gan amla.

'A chau di dy ffycin ceg, Paddy! 'Sneb 'di ffycin dyall dy ffycin jôcs di trw'r ffycin nos.'

'A pwy ffyc wyt ti i ffycin beirniadu jôc, Joc? Do's 'da chi ffycin Albanwyr ddim mwy o ffycin hiwmor nag sy'n 'y ffycin cala i! Ha! Ha! Ha!'

Ymateb Joc i hyn oedd llamu dros y tri gwely rhyngddo a Paddy a neidio ar y Gwyddel fel rhyw lew ffyrnig yn gafael yn ei ysglyfaeth. Arwydd i nifer o'r cymdogion ymuno'n y ffrae a chyn hir roedd 'na welyau, blancedi a phaciau'n hedfan trwy'r awyr ac ambell gorff yn cwympo'n ddiymadferth ar y llawr. Cofiodd Tom y gorchymyn i beidio ag ymuno'n y ffrae. Anghofiodd rhai o'r gwirfoddolwyr o'i amgylch y cyngor. Daeth pedwar neu bump ar garlam i 'Sortio pethe mas!' 'Tase un ohonynt

wedi bloeddio 'Geronimo!', ni fyddai Tom wedi rhyf-
eddu. Parhaodd y frwydr am funud neu ddau cyn i ferch
feichiog ifanc weiddi ar bawb '. . . bihafio fel ffycin
bechgyn bach . . .' Ni chlywodd Tom daran o lais tebyg
erioed o'r blaen. Roedd yn amlwg fod ganddi ryw allu
mawreddog, fodd bynnag, gan i bawb ufuddhau i'w gor-
chymyn nerthol i '. . . eistedd yn dawel fel plant bach
neis! Ne' gnycha' i ddim 'da un basdad ohonoch chi byth
'to!'

Tawelwch yn teyrnasu. Unwaith eto. Tawelwch ogof-
aol. Mewn ogof ddiddiwedd i'r dynionach hyn.
Cordelia'n cyrraedd 'I weld beth sy 'di digwydd 'ma.'
Ambell esboniad. Ambell reg. Ambell rech. Y byd yn
deffro. Dirywio'r tawelwch. Sŵn siarad. Peiriant y dydd
yn corddi. Yn barod am frecwast.

'Hei, Taff! Ble ma'r ffycin bwyd?'

Gwelodd Tom ei gyd-Gymro'n diflannu dros orwel o
welyau. Â'i bopeth ar ei ysgwyddau. Yn ddillad. Yn gelfi.
Yn atgofion. Yn boenau. Yn bopeth. Yn ddim byd i bawb
arall. Ond yn bopeth i'r hen Taff.

'Brecwast, Taff Newydd! Ma'r Hen Daff 'di mynd! Hir
oes i'r Taff Newydd! Tsiop tsiop! Llenwi'n wynebe ni.
Ti'n gwbod? Cig moch. Wy 'di'i ffrio. Pwdin du. Bara
sâm.'

Bwyd. Dyna'r cyfan oedd o bwys i un gwestai, o leiaf.

'Bwyd, Taff Newydd!'

'Brecwast, Taff!'

'Wy 'di'i ffrio!'

'Cig moch, Taff Newydd!'

'Bara sâm!'

'Cig moch!'

'Wy 'di'i ferwi, Taff!'

'Pwdin du!'

'Cig moch!'

Gwaethygodd yr hunllef wrth i bawb o'i amgylch
weiddi ar Tom. 'Ma lanast arall, meddyliodd. Wrth i'r

172

bloeddio gynyddu, teimlai Tom fel 'tase feis haearn ddu enfawr yn pwyso ar ei frest. Pwyso'n drwm. Mor drwm nes i'w asennau deimlo'r boen. Unwaith eto, byddai'n well ganddo fod ymhell i ffwrdd.

Unwaith eto, daeth Cordelia heibio i'w achub. Cordelia fusneslyd. Cordelia effeithlon. Cordelia dyner.

'Beth sy, bois? Brecwast? Ar fin 'i ddodi fe o'ch bla'n chi, bois. Erbyn fyddwch chi 'di pisho, bois, fe fydd e'n barod i chi.'

Teimlai Tom ei fod yn greadur gwan, aneffeithiol wrth ei hochr. Teimlai ers tro byd ei fod yn Ddyn Newydd, wedi gwneud ei siâr o amgylch y tŷ, yn rhannu dyletswyddau gyda Wendy, hyd yn oed yn newid cewynnau'r plant yn fabis. Er hyn oll, tueddai i deimlo'n ffroenuchel ynglŷn â gallu merched i gyflawni dyletswyddau gwrywaidd, yn arbennig os oedd angen medrusrwydd rheoli. Fel rheol, teimlai'r un hen ddirmyg cyfforddus atynt wrth glywed am eu hymgais i gymryd lle dynion mewn swyddi rheolwyr. Heno, neu'n hytrach y bore 'ma, sylweddolodd wrth gofio ei bod hi'n ddydd Sadwrn, y byddai'n rhaid iddo gyfaddawdu a chyfaddef fod gan Cordelia ryw bersonoliaeth hynod o gryf ynghyd â'r carisma mwya anhygoel. Gwenodd Tom wên wan yn ateb i chwerthin Cordelia.

'Wel, Tom bach, ma'r noson gynta wedi mynd heibio'n barod. Dim gormod o drafferth, gobeithio. Mae'n hen bryd symud y matresi i'r naill ochr nawr. Ydi wir. Ma' Rodney a'i griw'n dechre draw fan 'co. Bant â ni, ma'r dydd yn dechre!'

Hanner awr yn ddiweddarach gwisgodd Tom ei siwmper wlân unwaith eto. Oedd, roedd wedi'i thynnu oddi amdano i ymuno yn y gwaith trwm o gymoni. Nawr, fodd bynnag, cyfle i gael ei wynt yn ôl. Yn dosbarthu gwydraid o ddŵr oer i'r sawl a'i mynnai. Wrth weld cynifer yn dioddef o ben mawr ar ôl noson fawr, cyn cyrraedd y warws, roedd 'na sawl syched ag angen ei

173

foddi.

Yn gyd-ddosbarthwr iddo roedd merch gymharol dew
ond a chanddi wyneb prydferth. Ond wyneb gweddol
dew hefyd. Yn amlwg wrth ei bodd yn ei gwaith. Yn
llawn 'Bore da!' neu 'Croeso i'r wawr!' i bawb wrth iddi
roi pob gwydraid allan. Ceisiodd Tom ei hefelychu. Heb
fawr o lwyddiant. Roedd y nos hir wedi'i lwyr flino.
Gwên ffals oedd ei wên. Chwerthin gwag oedd ei
chwerthin. Roedd ei noson gynta fel gwirfoddolwr yn
dirwyn i ben. Edrychai ymlaen yn eiddgar at gael gor-
wedd yn nhawelwch ei wely clyd.

Pan ddaeth yr amser iddo adael ar ôl casglu'i got
drwm, ymddangosodd ei gyd-ddosbarthwr dŵr wrth ei
ochr. Wedi cyfnewid ambell air â hi ynghynt, gwyddai
Tom ei bod yn byw ar gyrion Kilburn, fwy neu lai ar y
ffordd i'w gartref yntau yn Hendon. Eiliad cyn iddynt
gamu i hanner goleuni bore Rhagfyr Llundain, camodd
Buddug o rywle a gafael yn dyner ym mraich y ferch
dew.

'Moragh, cariad! Ble ti 'di bod? Dwi ddim 'di dy weld ti
drwy'r nos. Ond ti 'di cwrdd â Tom yn barod? Mae e'n
eitha boi am y merched! On'd wyt ti, Tom?'

'Fydden i ddim yn gweud 'na. Ddim o gwbwl.'

'Dere 'mla'n, Tom, 'achan. Fytith Moragh ddim monot
ti! Na 'nei di, Mo?'

'Sa i'n gwbod, 'fyd!' Gwên hyfryd yn gefndir i'r
chwerthin direidus. 'Rwy wedi gweld gwa'th!'

'Paid ti â chymryd 'rhen Moragh o ddifri, Tom! Mae'i
hiwmor yn tyfu ar ddyn – a menyw. Diolch byth am 'ny,
'fyd. A ni'n gorfod rhannu cymaint o'n bywyd 'da'n
gilydd.'

'Beth? Chi'ch dwy'n byw 'da'ch gilydd?'

'Na, diolch byth! Gweitho 'da'n gilydd, Tom. Dwi ddim
yn credu y galle Buddug fyw 'da fi. Ma' hi byth a hefyd
yn 'y nghyhuddo o fod yn fam arall.'

'Wel, ma' un fam yn ormod os nad wyt ti'n ca'l

rhywfaint o ryddid. A ma Moragh yn fòs arna i'n y gwaith.'

'O, ie? A beth ŷch chi'ch dwy'n 'i 'neud i ennill eich cryste?' Arhosodd Tom wrth ochr ei gar wrth aros am yr ateb.

'Nyrsio.'

'Actio fel clown drwy'r dydd fydde'n well disgrifiad o beth ma' Moragh yn 'i 'neud rhan fwyaf o'r amser.'

'Rhywbeth i 'neud y cleifion yn llawen, 'na'r cyfan dwi'n 'i 'neud, Tom! Gallet dyngu fod y ward fel syrcas, ffor' ma' Buddug yn siarad amdana i!'

'Chi'n gwbod, ferched, fe fydde'n hyfryd cadw'r sgwrs 'ma i fynd. Ond, 'wy 'di blino a ma'n rhaid gyrru'r holl ffordd i Hendon cyn cyrraedd 'y ngwely.'

'Hendon? Wrth gwrs! Ddwedest ti gynne. Ti'n meddwl y gallet ti fynd â ni'n dwy fach hyd at Fwthyn y Swistir? Bydde'n gyfleus i fi ar gyfer Kilburn ac i Buddug 'fyd. Ma' hi'n byw ym Mryn Dolis.'

Sylwodd Tom ar Buddug yn siglo'i phen ac yn gwneud hanner ymdrech i fynd ar ei ffordd unig i'w chartref anghysbell ar gyrion gogleddol Llundain.

'Wrth gwrs y cewch lifft, ferched. Ac fe af â chi'ch dwy'n syth i'ch cartrefi.'

Siglodd Buddug ei phen unwaith eto ond enillodd chwilfrydedd Moragh y dydd ac ymhen dim gwibiai'r triawd ar draws y ddinas fawr yn disgwyl goresgyniad y prynwyr munud-olaf. A'r Nadolig ond drennydd, heddiw fyddai'r cyfle olaf i'r siopwyr elwa ar elfen fasnachol Gŵyl y Geni. Sgwrs hamddenol yn cael ei hatalnodi o bryd i'w gilydd gan ambell awgrym ffiaidd o wefusau coch Moragh yn y sedd ffrynt wrth ochr Tom. Edrychodd Tom yn y drych i weld Buddug yn gwingo wrth glywed chwerthin ei chydymaith. Synhwyrodd Tom efallai y câi gyfle arall i drio'i lwc gyda Buddug cyn diwedd y dydd wrth i Moragh ddweud wrthi pa mor lwcus oeddynt i gael lifft yr holl ffordd at eu drysau ffrynt. Ceisiodd Tom osgoi edrych yn y drych er mwyn osgoi gweld ymateb Buddug.

Pan ddaeth yn amser i Moragh adael y car yn Kilburn, dadleuodd Buddug yn eiddgar dros iddo'i gadael hithau yno hefyd, ond roedd Moragh ei hunan yn llawer mwy brwdfrydig am iddi dderbyn y cynnig o lifft yn syth at ei drws ffrynt.

'A chofia gynnig paned iddo fe! A thamed o'r gacen Nadolig 'na ti 'di bod wrthi ers mis Medi!'

Mynnodd Buddug aros yn sêt gefn y car yn writgoch wrth i Tom ei holi am ei gallu fel cogyddes.

'Ma' blydi Moragh yn dodi'i phig mewn ym musnes pawb! Ond gwell i ti ddod mewn am baned a thamed ne' fydd hi'n cyhoeddi wrth bawb yn *Crisis* 'y mod i'n anniolchgar – fel arfer.'

Derbyniodd Tom ei gwahoddiad ag eiddgarwch Moragh. Ychydig yn rhy ddangosol at ei chwaeth ei hun, efalle, ond yn amlwg mewn modd a barodd i Fuddug chwerthin am ei ben.

'Paid tynnu'r pìs, Tom, 'nei di? A phwy ddiawl fydde'n meddwl y byddwn i'n dy wahodd i'r fflat ar ôl y ffordd 'nest ti fihafio'n gynt y bore 'ma!'

Wrth ddilyn tin siapus Buddug i fyny'r grisiau ym Mryn Dolis, cofiodd Tom am yr achlysuron hyfryd hynny, lai na phum mis yn ôl, pan fu'n dilyn tin siapus Anna i fyny'r grisiau yn Abermorlais ac yma yng Ngogledd Llundain. Prin y gallai reoli'i awydd i estyn am y ddwyfoch fel y gwnaeth droeon gydag Anna a'u hanwesu'n gyfeillgar.

'Te neu goffi?'

'Coffi, os gweli di'n dda. Coffi gwyn ac ychydig bach o siwgr. A phaid ag anghofio'r tamed dd'wedodd Moragh wrthot ti am ei roi i fi.'

'Tamed o 'nghacen 'Dolig i, Tom!' Llais digon cyfeillgar o'r gegin. Tom yn y cyfamser yn edrych ar silffoedd llyfrau Buddug ac yn cael ei synnu gan ei chwaeth. Ochr yn ochr â nofelau'r chwiorydd Brontë a D H Lawrence safai cyfrolau Alberto Moravia a Henry Miller. Ar y silff uchaf oll, llyfrau ymchwil Shere Hite a Nancy Friday a phentwr o nofelau pornograffig modern gan awduron anhysbys. Rhai yn amlwg wedi'u cyhoeddi ar gyfer y farchnad fenywaidd. Yng nghornel bella'r lolfa lle porai Tom, yn bentwr o annibendod, sylwodd ar gylchgronau pornograffig wedi'u hanelu at ferched. Estynnodd un ohonynt a'i agor. Oedd, roedd wedi gweld digon o'r fath gylchgronau at ddant dynion, ond dyma'r tro cynta iddo weld cynnyrch y Wasg amheus ar gyfer merched.

'O na, Tom! Dyna'r pethe d'wetha ro'wn i am i ti'u gweld!'

'Pam?'

'Oherwydd . . . oherwydd . . . wel . . . alla   i   ddim esbonio.'

'Beth? Esbonio dy fod ti, fel pawb arall ifanc, yn twmlo'r un chwante â dy gyfoedion? Rhywbeth hollol naturiol i ti'u twmlo.'

'Na, Tom. Dim byd fel'na. Ond oherwydd yr ofon sy arna i y cei di'r argraff anghywir amdana i.'

'Ti ddim yn mynd i wadu dy fod ti'n twmlo'r chwante 'ny?'

'Rhywbeth digri iawn fyddai ceisio 'neud hynny nawr. Ar ôl i ti weld y ffycin stwff 'na i gyd.'

'Felly 'nei di ddim brwydro yn erbyn y chwantau 'ny mwyach?' Camodd Tom yn hyderus ar draws y stafell ati a'i freichiau ar led i'w chofleidio. Gwyddai nawr na fyddai'r Nadolig yn un siomedig i'w gala.

'Na, Tom! 'Ma'n union beth o'wn i'n ei feddwl!'

'Beth, cariad? Y ffaith dy fod ti byth a hefyd yn breuddwydio am gael dy dreisio? Ne'n hytrach yn ffugio dy fod ti'n ca'l dy dreisio?'

'Tom, paid.' Tawelodd ei llais i sibrwd yn ei glust. Yn reddfol, cymerodd Tom hyn i olygu fod 'Na' yn golygu 'Ie'. Camgymeriad hollol naturiol iddo ef a'i gyfoedion, wrth gwrs. Gafaelodd yn dynnach yn ei chorff bach gwan wrth i'w godiad fynnu gwthio yn erbyn ei bol. Wrth iddi ddechrau gweiddi, gwthiodd Tom ei wefusau ar draws ei cheg. Gwthiodd ei dafod i ddyfnderoedd ei cheg yn dreisiol. Ceisiodd dynnu'n ôl. Poen annioddefol.

Wedi'r hyn a deimlai fel oes o ymosod gan gleddyfau dannedd Buddug, llwyddodd Tom i ddatgymalu'i dafod. Blasodd yr hylif hallt ar unwaith. Eiliad yn ddiweddarach, poerodd gawod goch ar draws ei chrys.

'Cont!' Llwyddodd, rywsut, i ynganu'r ungair cyn i'w geg dderbyn chwistrelliad newydd o waed.

'O, Tom! Mae'n ddrwg iawn gen i! Doeddwn i ddim wedi bwriadu gwneud cymaint o niwed i ti!'

Y tro hwn, anelodd Tom y poer coch yn fwriadol at y llygaid dialgar a ffugiai faddeuant.

'Cont!'

'Cachwr!' Derbyniodd yr wyneb coch gawod newydd wrth i fysedd ei berchennog lunio rhyfelbaent o gylch y llygaid ffyrnig.

Rywle yn nyfnderoedd eu hisymwybod bellach mae cof y ddau am y munudau nesaf. Brwydr fwya bywyd byr Buddug yn erbyn nerth a greddf ei hymosodwr. Cyflawni ffantasi fwya hunanol Tom cyn iddo lewygu'n hollol ddiymadferth wrth ei hochr.

Collodd hithau'r frwydr. Ni welodd Tom hi'n cropian i'r tŷ bach cyn chwydu'n ddi-dor am oes. Doedd neb yn dyst wrth iddi daflu'i dillad i gyd i'r bin sbwriel. Ac fe gysgodd Tom trwy sŵn ei chawod boeth cyn iddi ddychwelyd i'w lolfa wedi awr erchylla'i bywyd. Gorweddai'r hunllef mewn trymgwsg ar y llawr. Ei thro hi i boeri nawr. Poerodd yn filain arno. Gwrthododd y diawl ddiflannu o lawr y lolfa. Poerodd eilwaith heb unrhyw effaith. Allai hi byth â chysgu tra gorweddai'r hunllef ar lawr y lolfa.

Am eiliad fechan, a dim ond eiliad, meddyliodd y gallai Tom fod yn farw. Yma ar lawr ei lolfa. Ond na, roedd yn anadlu'n drwm. Ac, o bryd i'w gilydd, yn chwyrnu. Gorweddai'r hunllef ar ei ochr ac felly rhoes gic frysiog yn ei din. Taranodd y chwyrnu am ychydig eiliadau cyn tawelu unwaith eto.

Moragh! Dyna'r peth gore i'w wneud! Ei ffonio hi! Wedi'r cyfan, i raddau helaeth, arni hi roedd y bai. Y ffŵl gwirion! Yn gwahodd y diawl 'ma i'w fflat? Pwy ferch yn ei hiawn bwyll y dyddiau hyn fyddai'n gwahodd dieithryn i'w chartref. A'r busnes 'na o'r llyfrau a'r cylchgronau? Pam na all merch fwynhau darllen y fath sothach o bryd i'w gilydd? Pam na all merch gael y modd i ddenu rhyddhad rhag tyndra rhywiol heb orfod dioddef cwmni dyn? Pam fod yn rhaid i bob blydi dyn feddwl ei fod e'n anhepgor i ferch fedru mwynhau rhyw? Ma' dynion yn rheoli digon o agweddau 'mywyd yn barod, meddyliodd, heb iddynt gymryd y rhan hon o 'mywyd iddynt eu hunain. Na, doedd hi ddim yn dal i fod yn wyryf. Ond nid dyna'r pwynt. Ei chorff hi oedd hwn. A'i dewis hi oedd beth i'w wneud ag e. A phryd. Dyna, yn y pen draw, pam ei bod yn byw ar ei phen ei hun. Er mwyn cael mwynhau'r rhyddid i wneud fel y mynnai. I fynd a dod yn ôl ei chwaeth. I gael llonydd nawr ac yn y man. Ac i anghofio. Ie, i anghofio am Jonathan. Ei chariad cynta. Ei hunig gariad. Ei chydym-aith cyson am ei blwyddyn gynta'n Llundain. Meddyg ifanc yn yr ysbyty. Yr union berson i blesio'i mam a'i theulu dosbarth canol. Yn wahanol i'r dynion eraill. Ond, yn y pen draw, yn union 'run fath â phob dyn arall. Dim ond eisiau un peth. Ac yn union wedi'i gael, yn dif-lannu allan o'i bywyd. Hyd yn oed i ran arall o'r ysbyty i weithio. Mor gyfleus. Mor blydi cyfleus!

O bryd i'w gilydd, meddyliai mor hapus y gallai fod yn byw bywyd tebyg i Moragh. Yn taflu dynion i'r naill ochr fel sbwriel. Yn gweld rhywun yn ymweld â'r *ward* ac yn cyhoeddi i'r nyrsys ifanc â'i llais clochuchel y byddai wrth ei bodd '. . . yn ffwcio'r diawl 'cw i ebargofiant!'

Caeodd Buddug ei llygaid i'w dychmygu'i hunan yn gwasgu llygaid Tom i mewn i'w benglog. Pan atebodd llais cysglyd Moragh yr alwad, sylweddolodd Buddug ei bod wedi gwasgu botymau'r ffôn.

'Beth sy, Budd? A'th e adre heb roi cyfle i ti dynnu'i drowsus e lawr?'

'Beth? 'Na'th e beth i ti? Ffycin dynion! A ti'n dal i waedu? Dal dy ddŵr! Fe fydda i rownd 'da ti mewn hanner awr. Os 'neiff e ddihuno, cadw fe 'na. Rwy'n mynd i fwynhau heddi! Er 'y mod i wedi hen flino.'

Llusgodd yr awr a chwarter unig nesa. Ond arhosodd Tom yn ei unfan. Edrychodd Buddug, o bellter diogel, ar ei geg waedlyd. Doedd hi ddim yn olygfa hardd ond beth all dyn ddisgwyl wrth ymddwyn mewn modd mor gyntefig? Edrychodd Buddug allan o'r ffenest ugain o weith-iau'n y cyfamser. Yn rhyfeddol, teimlai ar fin cysgu pan ganodd y gloch. Rhuthrodd at y grisiau i groesawu Moragh fel chwaer fawr.

'Sori 'mod i mor hwyr. O'dd un ne' ddau beth 'da fi i 'neud.' Cododd fag plastig mawr a'i ddangos i Buddug. 'Fe fydd y stwff ma'n ddigon i ofalu am y boi bach 'na!'

'Ma' isie glanhau'i geg e, Mo. 'Na'r peth cynta.'

'Wedi i ni 'neud yn siŵr na fydd e'n rhedeg i ffwrdd. Dwy i ddim am golli'r cyfle 'ma am dipyn o hwyl!'

'Beth ti'n feddwl, Mo?'

'Meddwl? Ti'n gwbod. Wrth gwrs dy fod ti. Dwy i ddim yn bwriadu gwastraffu'r cyfle. Wedi'r cyfan, dyw e ddim yn rhywbeth sy'n digwydd bob dydd. Na hyd yn oed bob blwyddyn!'

'Dwy i ddim yn dy ddeall di o gwbl, Mo.'

'Nag wyt ti? Wel, ma'r oriau nesa'n mynd i fod yn agoriad llygad i ti!'

'Ma'n rhaid 'y mod i'n dwp ne' rywbeth, Mo.'

'Ti dd'wedodd 'ny, Budd fach. Nid y fi!'

* * *

Beth yfes i neithiwr? Rhyw gawl od o win a gwirodydd fel arfer sbo. Doedd dim newydd yn ymateb Tom wrth ddihuno a theimlo cur pen a phoen yn ei stumog. Ceisiodd godi'i ben er mwyn gweld y cloc. Teimlai fel petai wedi'i glymu i lawr. Syrthiodd 'nôl i gysgu unwaith eto. Ymhen awr neu ddwy arall, deffrôdd eto. Teimlai'n fwy caeth i wely. Gwely? Pa wely? Gwely Buddug! Gwely Buddug? Wrth bendroni'i argyfwng, syrthiodd 'nôl i gysgu unwaith yn rhagor. Fe'i deffrowyd nesa gan sŵn nefolaidd gôr yn canu carolau. Meddyliodd, do, meddyliodd am hanner eiliad ei fod e, Tom Richards, y diawl o ogledd Llundain, yr alltud randi o Abermorlais, wedi'i dderbyn trwy byrth rhen Bedr a'i fwndel o allweddau i ymuno â'r etholedig rai! Pwy? Tom Richards? Y *lothario* mwya a droediodd y ddaear 'ma? Na. Amhosib. Nid fi. Rhywun arall, siŵr iawn. Ond nid fi.

Ceisiodd godi er mwyn gweld mwy o'r nefoedd. Methodd yn llwyr. Doedd ganddo mo'r gallu i symud. Yn sicr, doedd ganddo mo'r gallu i ffoi. Sylweddolodd ei fod, yng ngwir ystyr y gair, wedi'i gaethiwo. Sylweddolodd ei fod wedi'i estyn fel seren. Ar wely? Ie, ar wely. Yn noethlymun. Ei arddyrnau a'i figyrnau wedi'u hualu wrth byst y gwely. Tom wedi'i hualu â llinynnau lledr. Wedi'i ddallu â chadach o sidan. A'i geg wedi'i chyfyngu hefyd â chadach. Pam? O pam?

Gwyddai fod ei hunllef yn parhau am oriau diorffwys. Tom Richards, stalwyn Abermorlais, wedi'i gyfyngu a'i gaethiwo gan bwt fechan o nyrs pwysau plu! Crwydrodd ei feddwl hwnt ac yma dros ddigwyddiadau'r dyddiau diweddar. Cofiodd am ei bleser hunanol rhwng coesau Buddug. Ysodd am gyfle arall i daenu'i had yno. Ond na, doedd 'na ddim gobaith mwyach. Dim gobaith o gwbl nawr. A hi wedi llwyddo i'w glymu'n dynn ar ei gwely. Byddai'r heddlu'n siŵr o gyrraedd cyn hir. Carchar! Gwyddai, fel cyfreithiwr, mai dyna'r ffawd a'i hwynebai bellach. Ar ôl cael cweir gan yr heddlu. A'r noson gynta'n y carchar! Swyddogion y carchar yn anwybyddu'r angen i'w gloi i fyny er mwyn ei ddiogelwch. Ei gyd-gar-charorion yn mwynhau'r cyfle unigryw i roi cweir go-iawn iddo. Yr esgus fyddai prinder adnoddau gan y staff. Bu sawl cleient i Tom trwy'r broses. Gwyddai'n union beth i'w ddisgwyl. Dim byd llai na'i haeddiant. Roedd hi'n amhosib iddo gysgu wedi iddo sylweddoli fod Buddug – a chymdeithas – ar fin cael cyfle i ddial arno.

Clywodd chwerthin o rywle. Chwerthin benywaidd. Buddug yn amlwg yn chwerthin am ei ben. Ac yn chwerthin am y ffawd a'i harhosai. Ceisiodd ei ar-gyhoeddi ei hunan mai breuddwyd, hunllef yn wir, oedd y cyfan. Amhosib oedd cysgu. Amhosib breuddwydio'i ffordd allan o'i argyfwng.

Clywodd ddrws yn agor. Sibrwd. A chwerthin. Mwy nag un llais. Wel, meddyliodd, dyma ni. Yr heddlu. Wedi cyrraedd. I'w ddwyn i'r carchar. Lleisiau benywaidd. Dim dyn? I wneud yn siŵr na fedrai ffoi? Chwerthin clochuchel. Llais clochuchel Moragh. Moragh? Beth ddiawl ma' hi'n 'neud 'ma?

'Noswaith dda, Tom! A phwy sy wedi bod yn fachgen bach drwg? Na, nid bachgen *bach* o gwbl ond bachgen *mawr* drwg. 'Sdim rhyfedd o'dd hi mor boenus arnat ti, Budd. Y blydi peth 'na!'

Teimlodd Tom ei gala'n cael ei phrocio gan rywbeth caled. Ac yna'n cael ei chodi a'i gollwng. Yn swp diymad-ferth rhwng ei goesau. Doedd 'na ddim gobaith cael un-rhyw ymateb ganddi nawr.

'Gad iddo fe weld pwy sy 'ma, Budd. Tynna'r cadach 'na oddi ar ei lygaid e, 'nei di?'

Doedd pethau fawr iawn gwell i Tom wedi i Buddug ufuddhau i orchymyn ei chydymaith. Yn anghyfarwydd â'r golau. Yn anghyfforddus yn gorwedd yn noeth ym mhresenoldeb dwy ferch. Yn seren y sioe. Yn amlwg.

'O leia, Tom, alli di ddim ymfalchïo'n y peth bach 'na! Nid *Caledfwlch* yw ei enw *e*!' Llwyddodd Tom i'w gweld yn codi'i declyn unwaith eto â darn o bren. Syrthiodd ei hen gyfaill yn ôl i'r adwy. Dilynodd y darn pren poenyd-iol. Gwingodd Tom.

'Dwyt ti ddim yn mwynhau poen, yn nag wyt ti? A beth am Buddug? Sut oedd hi'n teimlo? Beth am ei phoen hi?'

A'r cadach yn ei geg, doedd dim modd iddo ateb.

'Cyn i ti ddiodde gormod, Tom bach, mae'n rhaid i ti ennill yr hawl i gerdded yn rhydd o'r lle 'ma. Beth s'da ti i'w ddweud?'

Nodiodd Tom ei gytundeb.

'A gwell i ti alw ar dy gyfaill i roi tipyn go dda o gym-orth i ti.' Cododd y darn pren ei gala am yr eildro. Gwyrodd honno'n daeogaidd o flaen ei meistres nerthol. Edrychodd Tom i fyny ar Moragh. Yn gwisgo crys-T en-fawr oren. Oren! O bob lliw! Oren! Pâr o fronnau anferth fel siop ffrwythau uwch ei ben!

'Does dim eisiau i neb fod ag ofn Moragh fach! Hyd yn oed rhywun â meddwl bach brwnt! Hoffet ti nythu rhwng bronnau mawr Moragh? Wyt ti eisie'u gweld nhw?' Siglodd Tom ei ben.

'Pam? Beth sydd o le ar 'y mronnau i?' Tynnodd y crys-T oddi amdani. Dilynodd y fronglwm. Rhyddhawyd y mynyddoedd. Fe'i siglwyd ar draws ei dalcen. Diflan-nodd popeth unwaith eto wrth i gadach gael ei glymu am ei lygaid. Symudodd croen llyfn ar draws ei groen.

'Tom! Ma' gweld 'y nhethau wedi codi awch arnat ti!' Doedd y syniad ddim yn agos at ei feddwl. Roedd hi'n amlwg, fodd bynnag, fod ei gala'n hoffi'r syniad o glosio at gyfrinachau'i bronglwm. Caledfwlch yn wir! Teimlodd ddwylo tyner yn gafael yn ei gleddyf. Ochneidiodd Tom yn ei bleser. Ffoi! Sut y gallai ffoi? Gadael ei gala ar ôl? Tegan chwarae yn gorwedd ar gledr ei llaw. Ond roedd ei bleser yn angerddol! Ymunodd ei ymennydd â'r rhyfeddodau greddfol yn tyrru'n dymhestlog ar hyd ei wythiennau. Digalonnwyd ei feddwl rhesymegol gan orchymyn yr unben gormesol. Fe'i harweiniwyd i nefoedd rhwng ei gwefusau gwlyb. Sglefriodd ei thafod i awch-lymu'i waywffon. Irwyd mannau dirgel a phlygion ei gnawd.

Collodd ei ymennydd y frwydr. Arweiniodd ei wendid dynol ef yn aberth rhwng coesau Moragh. Cyn hir, llafnwyd ei gledd. Yn hedd ei morddwydydd. Yn ysglyf-aeth i'w chwaeth anniwall hi. Wedi'r argoelion an-addawol, gorweddodd Tom yn ôl i fwynhau'i thrachwant. Doedd ganddo mo'r nerth i wneud dim arall. Yn ei thro, cofleidiodd hi ei gorff a gogleisiodd hi fannau nas gogleisiwyd erioed o'r blaen. Blasodd ei gala a'i chedor ei gilydd wrth ymdoddi'n yr holl gynnwrf corfforol. Teimlodd Tom hi'n dringo drosto, yn ei godi o un copa i'r nesaf. Llifeiriodd ei chnawd ar draws pob modfedd ohono. Nofiodd tonnau o groen llac drosto wrth i'w daeargryn corfforol drechu'i hymdrechion swnllyd. Rhan annatod o'r cyfan oedd ei chreulondeb wrth iddi hawlio a meddiannu'i gorff drosodd a thro. Arf Moragh oedd rhwng ei goesau. Moragh oedd brenhines y gwely. Llithrodd ei herwau o groen llyfn hwnt ac yma arno. Fe'i llyfwyd ac fe'i sugnwyd. Fe'i hirwyd ac fe'i byseddwyd. Gwyddai fod rhywun arall wedi ymuno'n y parti. Ynghyd â Moragh a Buddug. Trydedd merch. Pâr arall o ddwylo i ymuno'n y gwaith. Y gwaith o'i droi'n was taeog i'w chwantau a'u trachwantau. Gorfodwyd ef i gafnio orgasm ar ôl orgasm o groth ar ôl croth. Boddodd Tom yng nghysgodion eu cnawd.

'Mor hyfryd. Y peth hyfryta'n yr holl fydysawd,' sibryd-odd Moragh wrth ei gala. Gan na fedrai siarad, gadaw-odd Tom ei ffrind gorau i siarad drosto. Er ei waetha'i hun, gorfoleddodd yn y rhyddhad angerddol o fod o ddefnydd i gorff, neu efalle i gyrff, gwancus. Teimlai fel petai ar fin cael ei lyncu. Coronwyd ymdrechion Moragh a'i ffrindiau gan esgyniad terfysglyd. Cludwyd Tom i eurdir coeth. Gorweddodd 'nôl i orffwys yn hedd ei lwyddiant. Torrwyd ar draws ei laesu gan loddesta newydd y folerwraig yn anadlu mêl gwenwynig yn ei glust. Mynnodd Moragh dylino boglyn ei chedor ar un-rhyw fan hanner-cadarn o'i gorff. Doedd Tom bellach yn ddim ond tegan chwarae i chwantau'r anferthedd a deimlai yn dringo'n ôl a 'mla'n ar draws ei gorff.

Drosodd a thro, eildro ac eto, mynnodd y cyrff benyw-aidd eu hawliau. Heb obaith am egwyl. Ildiodd Tom i'r pleser. Anghofiodd am ei holl ofidiau. Anghofiodd am ei ddyletswyddau. Anghofiodd am ei addewidion i'r di-gartref. Anghofiodd am y poenydio y gallai edrych ymlaen ato'n y carchar. Anghofiodd ei hun yn llwyr.

Collodd Tom bob ymwybyddiaeth o amser. O bryd i'w gilydd, gwyddai fod 'na ferched yn ei ddefnyddio er mwyn eu pleser eu hunain. Er gwaetha'i ymdrechion i'w gwrthod, mynnodd ei gorff annibynnol fwynhau'r profiad. Roedd fel petai ganddo'r gallu i fod yn ddau berson. Un yn byw'n ei ymennydd a'r llall yn ei gorff. Neu, i fod yn berffaith onest, yn ei gala. Roedd hi'n amlwg, fodd bynnag, fod corff ac ymennydd y merched i gyd yn unfryd. Yn unfryd eu hanghenion. Yn unfryd eu pleser. Yn unfryd eu horgasm. Yn unfryd eu horgasmau, yn sicr.

Roedd hi'n amlwg iddo, hyd yn oed yn ei gyfyngder, nad oedd e bellach ond tegan er mwyn pleser y merched. Hwnt ac yma, rhwng eu cyfnodau anghenus, gadawyd Tom i gysgu. Cyn ei ddeffro'n awchus unwaith eto. Coll-odd bob syniad o anghenion naturiol ei gorff. Do, fe'i bwydwyd â phrydau danteithiol. Yfodd win a gwirodydd a choffi. Cafodd ei fwydo fel babi blwydd. Fe'i dygwyd sawl gwaith i'r tŷ bach er mwyn cyflawni rheidrwydd ei gorff. Hanner-ymwybodol oedd bob tro, fodd bynnag. A merch yn rheoli'i bob symudiad. Carcharor! Dyna oedd Tom yn ei argyfwng. Carcharor i'w gorff ac i geidwaid ei gorff.

Ond beth am y Nadolig? Nadolig? Pa Nadolig? Y

Nadolig hwnnw pan oedd Tom i fod i helpu'r digartre. A'r Nadolig ola o ryddid iddo. A oedd hi'n Nadolig eto? Neu'n nes at Ddydd Calan? Roedd hi'n amlwg yn ddydd a nos cala i Moragh a'i ffrindiau tra oedd Tom o fewn eu crafangau. O'r diwedd, cafodd ryddhad o'r anwybodaeth pan gyhoeddodd llais awdurdodol Moragh ei bod hi 'Yn wir yn Nadolig Llawen, Tom!' Ond beth sy'n llawen mewn cael eich cyfyngu mewn cell o fflat yng ngogledd Llundain?

'A ma' 'da ni syrpreis bach i ti, Tom. Yr holl ffordd o Boston yn yr U.D.A.' Na, nid Anna! Ma' hyn yn amhosib! Tynnwyd y cadach oddi am ei lygaid. Yno, wrth erchwyn y gwely, safai merch ddeniadol a'i gwallt melyn wedi'i dorri'n fyr. Wedi'i gwisgo mewn gŵn ysbyty werdd.

'Ydi, mae e wedi bod yn eitha tawel. Chawson ni ddim trafferth i'w gadw'n dawel, Doctor. Fe lwyddon ni i'w ddifyrru fe.'

Ceisiodd Tom edrych o'i gwmpas. Llwyddodd i weld bocs mawr o liw arian ar y bwrdd wrth ochr y gwely. A'r clawr wedi'i agor. Sylwodd y ferch newydd arno.

'Diheintiwr,' meddai wrtho.

'Paid ti â gofidio. Fe fydd popeth yn ddi-haint.' Tynnwyd y cadach o'i geg.

'Diheintiwr?' gofynnodd.

'Ie. Ti'n gwybod. I ddiheintio offer llawfeddygol.'

Gwrthododd Tom ofyn y cwestiwn naturiol. Teimlai fel chwydu. Gwelodd Moragh a Buddug ym mhen pella'r stafell.

'Hei, ferched. Beth sy 'mla'n? Dewch nawr.' Tinc nerfus yn ei lais.

'Ein cyfle ni yw hi heddiw, Mr Richards. Beth sydd well gennych chi? Blynyddoedd o garchar? Carchar unig? Er mwyn eich diogelwch? Neu . . .'

'Dewch nawr, ferched. Do's dim pwrpas i hyn. Joc drosodd.' Ymbiliodd Tom ar Buddug a Moragh. Clywodd Buddug yn sibrwd 'Basdad!'

'Er mwyn ein diogelwch ni, Mr Richards.' Y llais Americanaidd eto. 'Er mwyn diogelwch merched fel fi. Merched fel Buddug. Ein cyfle ni yw hi heddiw. Anrheg Nadolig. I'ch talu'n ôl.'

'Dyw hon ddim yn jôc dda! Dim ffycin jôc o gwbl!' Ceisiodd dynnu yn erbyn y lledr yn cyfyngu'i arddyrnau. Rhy dynn a rhy gryf.

Symudodd Moragh at y diheintiwr. Arllwysodd ddŵr o degell iddo. Cododd yr Americanes flwch mawr du a'i osod ar y bwrdd a'i agor. Tynnodd sisyrnau gloyw hir a nifer o gyllyll llawfeddygol. Gosododd nhw'n araf i mewn yn y dŵr. Daeth Buddug â thair dysgl arennog a'u gosod ar y bwrdd yn lle'r blwch du. Gorweddai chwistrellydd mewn un ddysgl tra oedd bwndel o wlân cotwm yn y llall.

'Beth yw hyn?' gofynnodd llais nerfus Tom.

'Dyma beth ddylid ei wneud i bob dyn, Mr Richards.'

'A dyw pawb ddim yn cael gwasanaeth yr arbenigwraig orau'n y byd. Rwyt ti'n ffodus iawn, Tom.'

'Crynodd Tom yn afreolus. Dechreuodd y diheintiwr hisian ar y bwrdd. Daliodd Tom i dynnu wrth y llinynnau'n clymu'i arddyrnau a'i figyrnau. Clywodd y dŵr yn berwi. Clywodd yr offerynnau'n tincian yn erbyn ei gilydd.

Ymdrechodd i'w ryddhau'i hunan. Heb ddim llwyddiant. Teimlodd fysedd meddal, benywaidd yn ennyn un codiad arall. Un codiad arall. Jôc oedd hi, wedi'r cwbl! Gwenodd wrth gau'i lygaid i fwynhau'r pleser. Llamodd ei galon wrth iddo deimlo gwlân cotwm yn rhwbio'i fraich. Agorodd ei lygaid unwaith eto i weld Buddug yn dal chwistrellydd mawr uwchben y cotwm.

'Fe wnaiff hwn ti'n gysglyd. A phaid â gofidio. Fe fydd y meddyg yn gadael bonyn bach fel anrheg Nadolig i ti!'

'Nadolig Llawen, Tom!'

'Nadolig Llawen, Mr Richards!' Acen Americanaidd o Boston.

Mwy o lên cyfoes o'r Lolfa!

Corff yn y Capel

URIEN WILIAM

Doedd dim byd mwy naturiol na bod Harold Rees, gŵr gweddw o statws, diacon gyda'r Bedyddwyr, perchennog siop ddillad ac un o bileri'r gymdeithas, yn cyfeillachu gyda Hannah Lewis, organyddes y Capel. Beth yn y byd felly oedd cymhelliad y llofrudd, a'r eglurhad am arwydd y Seiri Rhyddion. . . ?

0 86243 325 8

Pris £5.50

Pam Fi!

JOHN OWEN

Darlun gonest a doniol o fywyd yn un o ysgolion uwchradd De Cymru trwy lygaid Rhys, un o'r disgyblion. Ceir bwrlwm o hwyl ar bron bob tudalen ond nid yw Rhys yn swil o gydnabod teimladau mwy dwys fel serch, tristwch a dicter.

0 86243 337 1

Pris £5.95

Llais y Llosgwr

DAFYDD ANDREWS

Pan losgir tŷ haf ar gyrion ei bentref genedigol, mae Alun Ifans, na fu erioed yn ŵr o argyhoeddiad cryf, yn penderfynu ymchwilio i'r achos er mwyn ysgrifennu erthygl ar gyfer *Y Cymydog*, papur bro'r ardal. Ond mae e'n derbyn galwadau ffôn bygythiol gan rywun sy'n gwrthwynebu ei gynlluniau. Wrth geisio darganfod cymhelliad y Llais ar y ffôn, mae Alun yn dysgu fod deunydd ffrwydrol yn ei gymeriad ef ei hun hefyd.

0 86243 318 5

Pris £5.95

Stripio

MELERI WYN JAMES

Casgliad o storïau tro-yn-y-gynffon am gymeriadau sydd bron i gyd yn byw ar ymylon cymdeithas. Mae'r awdur yn eu stripio haen wrth haen—hyd nes datgelir rhyw gyfrinach allweddol amdanynt. Cyfrol gyntaf hynod addawol gan awdur ifanc.

0 86243 322 3

Pris £4.95

Titrwm

ANGHARAD TOMOS

Nofel anarferol sy'n llawn dirgelwch. Clymir y digwyddiadau at ei gilydd yn un gadwyn dyngedfennol sy'n arwain at anocheledd y drasiedi ar y diwedd. Adroddir y cyfan mewn iaith llawn barddoniaeth sy'n cyfareddu'r darllenydd.

0 86243 324 X

Pris £4.95

Samhain

ANDRAS MILLWARD

Nofel ffantasi i'r arddegau a'i thema ganolog yw'r frwydr oesol rhwng da a drwg. Y llinyn sy'n cysylltu'r brwydrau niferus yw ymgais Elai i ddod o hyd i'w wreiddiau a datgelir y gwirionedd iddo yn ei frwydr olaf yn erbyn Samhain.

0 86243 319 3

Pris £3.95

Cyw Haul

TWM MIALL

Argraffiad newydd o un o'n nofelau mwyaf poblogaidd. Breuddwyd Bleddyn yw rhyddid personol: un anodd ei gwireddu mewn pentref gwledig ar ddechrau'r saithdegau . . .

0 86243 169 7

Pris £4.95

Dan Leuad Llŷn

PENRI JONES

Clasur o nofel! Gyda sensitifrwydd craff, disgrifia'r awdur obaith a digalondid, afiaith a thristwch criw o bobl ifainc yn y Gymru gyfoes. Yn gefndir i'r digwyddiadau cyffrous mae panorama hardd Pen Llŷn, ond y cefndir ehangach yw Cymru gaeth a'i holl densiynau.

0 86243 028 3

Pris £4.95

Saith Pechod Marwol

MIHANGEL MORGAN

Casgliad o straeon byrion anghyffredin, gafaelgar, darllenadwy. Mae'r awdur yn troi ein byd cyffyrddus, confensiynol wyneb i waered ac yn peri inni ailystyried natur realiti a'r gwerthoedd sy'n sail i'n bywydau.

0 86243 304 5

Pris £5.95

Cardinal Ceridwen

MARCEL WILLIAMS

Sut y daeth brodor o Gwmtwrch i fod yn Tysul y Cyntaf, pab a phennaeth Eglwys Rufain? Mae'r ateb yn y byd gwallgof, digrif, cnawdol-ysbrydol a bwriadol sioclyd a ddisgrifir yn y nofel hon. Ynddi cyfunir stori afaelgar, dychan ac adloniant pur.

0 86243 303 7

Pris £4.95

DIM OND detholiad o rai llyfrau diweddar a welir yma. Mae gennym raglen lawn a chyffrous o nofelau a storïau newydd wrth gefn: gwyliwch y wasg am fanylion. Am restr gyflawn o'n holl gyhoeddiadau cyfredol, mynnwch gopi o'n Catalog newydd, sgleiniog, 48-tudalen, lliw llawn!

TALYBONT
CEREDIGION
SY24 5HE
ffôn (01970) 832 304
ffacs 832 782